# Une cavalière pour l'Étalon Noir

Walter Farley

# Une cavalière pour l'Étalon Noir

*Traduit de l'américain par Jean Muray*

*Illustrations de Michel Faure*

HACHETTE

L'ÉDITION ORIGINALE DE CE ROMAN A ÉTÉ
PUBLIÉE EN LANGUE ANGLAISE PAR
RANDOM HOUSE, NEW YORK, SOUS LE TITRE :

### THE BLACK STALLION AND THE GIRL

Hachette Livre, 43, quai de Grenelle, 75015 Paris.

*Pour*
*Alice, Steve et Tim*

# Chapitre 1

# On demande
# un lad...

Le jour se levait à peine quand Alec Ramsay arriva aux écuries. La première chose qu'il vit fut le nouveau lad occupé à brutaliser un poulain nommé Sable Noir. Il franchit d'un bond le seuil du box, saisit au vol un pied lancé vers le ventre du poulain et, le soulevant aussi haut que possible, il déséquilibra le lad et le renversa sur la litière.

« Je vous ai pourtant dit, cria-t-il furieux, de ne jamais frapper les poulains. Sortez d'ici ! »

Le lad était un ancien jockey. Il tenait encore dans sa main gauche une bride qu'il s'apprêtait à passer par-dessus la tête de Sable Noir. Il bredouilla d'une voix pâteuse :

« Ce sale canasson a voulu me mordre.

— Ce n'était pas une raison pour le frapper. Dorénavant, je me passerai de vos services. »

Le lad tenta de se redresser.

« Donnez-moi une dernière chance, Alec. Ça ne se reproduira pas. »

Alec Ramsay haussa les épaules.

« Quand je vous ai engagé, je savais que vous

buviez. Et vous saviez que j'étais au courant. Vous m'avez promis de ne plus boire tant que vous seriez ici. J'ai accepté de vous donner encore une chance, une seule. Dans la profession, personne ne veut plus de vous.

— Inutile de me faire la morale. Il y a longtemps que je suis au courant.

— Dans ce cas, vous devez comprendre pourquoi je ne peux plus vous garder. Dès que je vous aurai remis votre chèque, vous partirez. »

L'homme — quarante-cinq ans, encore très robuste — tendit sa main droite, comme pour demander à Alec de l'aider à se relever.

Alec hésita, puis il prit la main aux doigts noueux. Au même instant, le mors scintilla devant ses yeux. Il réussit à le faire dévier, mais reçut les courroies de la bride en plein visage. Puis ce fut le corps de l'ancien jockey qui s'abattit sur lui. Sous le choc, Alec tomba. Mais, très vite, il se ressaisit. Il se débarrassa de l'assaillant en le frappant au genou d'un coup de pied violent. Après quoi, il lui saisit le poignet droit et le tordit. L'homme laissa échapper un grognement de douleur.

« Ça suffit ! »

Alec l'empoigna par les épaules, le poussa hors de la grange et le traîna jusqu'au logement qu'il occupait au premier étage. Désordre total. Partout des verres, des bouteilles vides. Et l'ancien jockey n'occupait ce logement que depuis une semaine !

« Faites vos bagages, ordonna Alec. Ensuite, je vous conduirai à l'hôpital, moins pour soigner votre poignet foulé que pour subir une cure de désintoxication.

— Je refuse d'aller à l'hôpital, répliqua l'ancien jockey. Donnez-moi mon chèque, et je m'en vais. »

*
* *

Un peu plus tard, quand l'homme fut parti, Alec regagna le bureau du ranch et relut l'annonce qu'il faisait paraître depuis six mois dans tous les journaux et revues consacrés au monde des courses :

« ON DEMANDE UN LAD POUR ENTRETIEN ÉCURIES RANCH D'ÉLEVAGE ET ENTRAÎNEMENT JEUNES CHEVAUX. RÉFÉRENCES EXIGÉES. LOGEMENT ET HAUT SALAIRE. ÉCRIRE : RANCH DE L'ESPOIR, BOÎTE POSTALE 37, MILLVILLE, ÉTAT DE NEW YORK. »

Cette annonce n'avait donné que de médiocres résultats. Alec avait engagé plusieurs lads dont aucun ne semblait connaître son métier. Il était bien difficile de recruter des gens compétents et plus encore de les garder.

Le ranch de l'Espoir avait été constitué en une société dont les principaux actionnaires étaient les parents d'Alec et l'entraîneur Henry Dailey. Lui-même n'appartenait pas à cette société — du moins officiellement — puisque la loi interdisait d'être à la fois jockey et propriétaire. Cependant, il lui arrivait de temps à autre de partager avec son père le lourd travail administratif qu'exigeait la gestion de l'affaire. Mais surtout il s'occupait de trouver un lad capable de soigner et d'entraîner à sa place les chevaux de deux ans. Cette tâche, il lui fallait bien la confier à un autre, puisque, cette année-là, il se proposait, en accord avec Henry Dailey, de faire courir tout l'été, sur les hippodromes new-yorkais, leur grand crack, Black, le fameux Étalon Noir.

Alec alla d'un pas nerveux, impatient, se planter devant la fenêtre du bureau. De cette fenêtre, il pouvait observer l'enclos où, lorsqu'ils ne paissaient pas, les poulains de deux ans jouaient à se mordiller, à se poursuivre. Le soleil matinal faisait scintiller leurs robes claires ou sombres et mettait en valeur leur musculature déjà développée. Sable Noir, heureux d'être libre, partageait leurs jeux avec ardeur. Sur ces jeunes chevaux reposait l'avenir du ranch...

« Et pourtant, songeait Alec, nous ne pourrons pas les garder si je ne trouve pas un lad consciencieux. »

Le deuxième enclos, placé derrière le premier, était réservé aux juments que leurs petits, non encore sevrés, suivaient pas à pas, comme leur ombre. Elles aussi représentaient l'avenir du ranch...

Soudain, Alec fut arraché à ses pensées moroses en apercevant une voiture qui venait de s'arrêter sur l'allée principale, entre les enclos, et qui ne tarda pas à se remettre en marche, lentement. Il s'agissait d'une vieille conduite intérieure grise dont la carrosserie passablement délabrée s'ornait de grosses fleurs multicolores. Le conducteur semblait s'intéresser vivement aux chevaux. Puis la voiture redémarra et disparut derrière la grange.

En général, aucun visiteur n'était admis au ranch avant neuf heures. Alec regretta de ne pas avoir verrouillé la grande porte. Il se sentit comme pris au piège. Quel que fût l'intrus, il ne pouvait faire autrement que de le recevoir. Il se promit d'être courtois, mais bref. D'ailleurs, il n'eut pas longtemps à attendre...

La visiteuse — car il s'agissait d'une fille — surgit bientôt sur le seuil du bureau.

« Bonjour, dit-elle, souriante. Quel beau temps, n'est-ce pas ? »

Un instant, Alec resta muet de surprise. Mais elle, très décontractée :

« Moi, quand il fait beau, je suis toujours de bonne humeur. Et vous ? »

Elle avait des yeux d'un bleu transparent, pleins de vivacité. Comme Alec ne répondait pas, elle ajouta :

« Vous possédez des chevaux magnifiques. Je ne m'attendais pas à cela ! »

Devant le silence prolongé d'Alec, elle changea d'expression.

« Je suis venue pour l'emploi, déclara-t-elle avec gravité. Voilà des mois que je lis votre annonce dans *Pur-Sang*. J'espère que vous n'avez trouvé personne ? »

Alec fronça les sourcils. Ce n'était pas d'un lad comme celui-là qu'il avait besoin ! Il lui fallait un homme rompu à toutes les fatigues, à tous les secrets du métier... et non une fille très jeune — « Elle doit avoir à peu près mon âge » — et jolie certes, mais qui ne savait sans doute même pas monter à cheval ! « S'imagine-t-elle que je dirige une école d'équitation ? »

Pourtant, il demanda — presque malgré lui :

« Comment vous appelez-vous ?

— Paméla. Mais on m'appelle Pam.

— Et votre nom de famille ?

— Athéna », répondit-elle en le regardant fixement, sans un battement de paupières.

Il ne put s'empêcher de rire :

« Vous plaisantez ! Athéna ! C'est une déesse grecque. Ce n'est pas un nom de famille.

— C'est pourtant le mien. Il en vaut bien un autre. »

Il l'examina. Après tout elle avait peut-être du sang grec dans les veines. Le soleil qui entrait par la fenêtre l'enveloppait d'un halo lumineux, et accentuait certains détails de son visage : les pommettes très hautes, les cils longs, le teint bronzé. Elle avait des cheveux blonds noués sur sa nuque en une queue de cheval, des oreilles aussi délicatement modelées que son nez. Malgré son aplomb, elle paraissait sensible, extrêmement vulnérable.

« Que désirez-vous savoir encore ? » reprit-elle en s'avançant d'un pas.

Il s'aperçut alors qu'elle était bien plus petite que lui.

« À quel sujet ? demanda-t-il.

— Par exemple, pourquoi je me sens capable de tenir l'emploi que vous proposez. Toute ma vie, je me suis occupée de chevaux. Quand j'ai eu mon premier poney, je savais à peine marcher. Plus tard, on m'a donné une jument arabe. Je l'ai toujours. Je l'ai souvent fait galoper sur la plage. Quand nous nous arrêtions, je mettais pied à terre. Elle se roulait dans le sable, puis elle prenait son bain de soleil, comme une femme. Elle aimait aussi se baigner. Ça se passait en Floride.

— En Floride ? répéta Alec.

— Oui. C'est là que j'habite. Mais, maintenant, j'y suis de moins en moins souvent. C'est comme si un réveil sonnait dans ma tête et me disait : "Il est temps de partir, de faire quelque chose." Vous savez, le temps nous est mesuré...

— Que voulez-vous dire ?

— Nous sommes jeunes. Il faut vivre, agir, ne pas perdre une minute. »

Alec tourna les talons, alla s'asseoir à sa table de travail. Il n'était pas habitué aux conversations de ce genre. Réaliste, il avait appris à se contrôler, à ne pas se perdre dans les nuages.

« Vraiment, déclara-t-il avec quelque brusquerie, je n'ai pas besoin de vous. Ce que je cherche, c'est un professionnel. Remarquez bien, je ne veux pas être désagréable. Mais j'ai déjà entendu bien des jeunes me tenir le même langage que le vôtre.

— Je vous crois sans peine. Il doit y avoir de nombreux jeunes qui aimeraient travailler ici et monter vos chevaux ?

— Il y en a beaucoup, en effet.

— Je comprends. Évidemment, vous n'avez pas le loisir de les former.

— La plupart n'y résisteraient pas. Le travail est dur, souvent sale. Rien de comparable avec ce qu'on voit au cinéma ou avec ce qu'on lit dans les livres. Mes élèves, si j'en avais, me quitteraient rapidement. Et j'aurais perdu mon temps... ce temps si précieux dont vous parliez il y a un instant.

— C'est vrai. Moi-même, si vous consentiez à m'engager, je partirais... peut-être au bout de quelques semaines. »

Il la regarda, étonné :

« Vous partiriez ? Je ne comprends plus. Vous sembliez si résolue...

— Dans un sens, vous avez raison. J'aime les chevaux. Je les ai toujours aimés. Je veux vivre près d'eux. Mais il y a ce réveil qui sonne parfois dans ma tête. S'il ne sonne pas dans la vôtre, il sonne dans celle de la plupart des jeunes.

— Cela doit être vrai...

— N'empêche, ajouta-t-elle vivement, que je peux représenter pour vous une aide au moins temporaire. J'ai déjà secondé quelques professionnels. De sorte que je suis peut-être plus professionnelle que vous ne le pensez. À Orlando, en Floride, j'ai entraîné des trotteurs et des ambleurs. De la Floride à ici, j'ai monté plusieurs fois des pur-sang en courses d'obstacles. Oui, je peux vous être utile... jusqu'à ce que vous ayez déniché l'oiseau rare. »

Dans le visage qu'elle tendait vers lui, Alec déchiffra une volonté et une force exceptionnelles.

« Vraiment, je ne sais pas », dit-il.

Il se rendait compte que, s'il l'engageait, même à titre temporaire, Henry Dailey serait furieux. Le vieil entraîneur répétait souvent : « Pas de filles chez nous ! Elles font sans cesse des histoires et travaillent moins bien que les hommes. »

Alec raisonnait d'une autre façon : « Si elle sait vraiment se débrouiller avec les chevaux, cela me donnera peut-être le temps de sélectionner le lad sérieux et vraiment compétent dont j'ai besoin. »

Il releva la tête qu'il tenait baissée depuis un instant.

« J'aimerais voir comment vous montez, dit-il. Ensuite, je déciderai. »

# Chapitre 2

# Sable Noir

Alec la suivit dans le couloir central des écuries. Mais elle s'arrêta en chemin devant le box de Satan, le premier fils de Black. Chaque fois que Black participait au loin à une épreuve quelconque, c'était Satan qui régnait à sa place sur tous les animaux du ranch.

« Je n'aurais jamais cru me trouver face à face avec lui », dit-elle sans se tourner vers Alec.

Elle semblait même l'avoir oublié, tant elle était absorbée dans la contemplation de ce magnifique pur-sang à la robe frémissante, qui tendait vers elle des naseaux soyeux. Elle caressa la petite étoile blanche qu'il portait au front.

« Il nous a donné un mal fou, expliqua Alec. C'est Henry Dailey qui l'a dressé. Il en a fait un crack et, en même temps, une monture d'une extra-ordinaire souplesse. Il le place au-dessus de tout.

— Et vous ?

— Je ne suis pas d'accord avec lui. Pour moi, il n'y a que Black. »

Elle se tourna enfin vers lui :

« Vous avez tous les deux de la chance. Chacun de vous possède un beau, un noble cheval. J'ai l'impression... »

Elle réfléchit, puis continua :

« J'ai l'impression qu'on choisit moins pour le cheval lui-même que pour soi. »

Il sourit.

« Et que nous essayons de lui donner des qualités qui nous sont propres ?

— Oui, en quelque sorte. Henry Dailey, par exemple, doit exiger une obéissance totale. Est-ce vrai ?

— C'est vrai.

— Et vous ? Quelle méthode avez-vous imposée à Black ? »

De nouveau, il sourit.

« Je ne lui ai imposé aucune méthode précise. Je lui ai seulement demandé de faire ceci ou cela. Et il l'a fait. À vrai dire, je ne l'ai pas dressé. Je me suis contenté de l'entraîner. Le dressage est toujours délicat. Les chevaux possèdent un caractère. On risque de le briser. Et cela, je ne le veux pas... »

Elle le regarda et, à son tour, elle sourit.

« Maintenant, je vous connais mieux ! »

Peu après, ils sortaient ensemble des écuries et, côte à côte, longeaient l'enclos où jouaient les poulains de deux ans.

« Si l'on m'avait dit, s'exclama-t-elle, que je me promènerais aujourd'hui avec le plus célèbre jockey de notre époque ! Je crois rêver. »

Il se rembrunit.

« Je vous en prie ! En admettant que vous travailliez ici... »

Elle l'interrompit :

« Si vous m'engagez, je vous promets de ne plus jamais vous rappeler que vous êtes célèbre !

— En attendant, reprit-il, choisissez un cheval. Ils sont tous dressés.

— Ce n'est pas facile », dit-elle.

Puis, soudain :

« Celui-là ! »

Elle montrait Sable Noir qui passait au galop, la crinière fouettée par le vent. Alec secoua la tête.

« Justement, je ne peux pas vous donner celui-là. Choisissez-en un autre. »

Quelques instants, elle suivit Sable Noir du regard.

« Pourquoi ? demanda-t-elle.

— Parce que c'est le seul qui n'ait pas été monté depuis environ un mois. Je n'exige pas de vous que vous accomplissiez sous mes yeux un exploit. Je veux seulement savoir si vous êtes capable de maîtriser un poulain. »

Sable Noir s'était arrêté à quelques mètres, les flancs en sueur. Il secouait sans cesse la tête et semblait parfois écouter la conversation.

« Est-ce pour moi ou pour le cheval que vous seriez inquiet, si je le montais ? demanda Pam.

— C'est pour vous que j'aurais peur, répondit Alec. Sable Noir est un fils de Satan, un petit-fils de Black. Son premier propriétaire n'est jamais parvenu à le dominer. Tous les fils de Satan ont mauvais caractère. »

Sable Noir s'était encore rapproché et, maintenant, touchait presque la barrière. De sorte que Pam pouvait presque dénombrer les cicatrices qui sillonnaient son corps de l'encolure à la croupe.

« Des coups de fouet ? demanda-t-elle.

— Oui. Mais ça s'est passé avant que nous l'achetions.

— J'espère que vous avez rendu avec usure ces coups de fouet à celui qui les avait donnés ?

— Non. Mais nous l'avons fait condamner et nous lui avons enlevé le poulain. C'était plus important.

— Les brutes ne changent jamais, commenta-t-elle avec tristesse. Heureusement, il n'en est pas de même des chevaux. »

Soudain elle grimpa au sommet de la barrière, sauta dans l'enclos et saisit Sable Noir par son licol. Alec fut surpris d'une telle promptitude.

Quant au poulain, il rejeta la tête en arrière, tenta de se cabrer et de se dégager. Mais elle le tenait bon.

« Si vous m'autorisez à le monter, dit-elle à Alec, vous n'aurez aucun mal à prendre votre décision. En quelques minutes, tout sera réglé... d'une façon ou d'une autre. »

Alec savait qu'elle avait raison. Il ne pouvait donc refuser. Si elle se montrait capable de réussir là où plusieurs hommes avaient échoué, il l'engagerait sans hésitation.

Sable Noir avait les naseaux dilatés et, dans les yeux, une expression d'étonnement et de révolte. Elle le caressait, essayait de le rassurer. Un moment, il se pressa contre elle, comme pour l'écraser.

« Si tu crois que tu me fais peur, lui dit-elle sans élever la voix, tu te trompes. Tu ne m'impressionnes même pas ! »

Peu après, tenant le poulain par son licol, l'un à droite l'autre à gauche, ils le conduisirent de l'enclos dans la cour de l'écurie. Là, ils le bridèrent et le sellèrent, non sans peine d'ailleurs, car, brûlant d'impatience, il ne cessait de bouger, de danser. Quand Pam eut serré la sangle et ajusté les étriers, ils revinrent à l'enclos.

« Vous allez l'essayer ici, dit Alec. Comme ça, il ne pourra vous échapper. »

Elle se planta devant le poulain et le regarda dans les yeux, tout en lui caressant les naseaux. En même temps, elle lui parlait d'une voix à peine audible. Il restait immobile tout près d'elle, les oreilles droites, les yeux humides et brillants, tandis qu'elle continuait à lui parler.

À la fin, elle dit à Alec :

« Ça suffit. Maintenant, tout ira bien. »

Comme il s'avançait pour l'aider à monter :

« Non, non ! Je n'ai pas besoin de vous. »

Et, d'un seul élan, presque sans prendre appui sur le garrot, elle sauta en selle. Alec, émerveillé, pensa : « Elle marque le premier point. Voyons la suite. »

Naturellement, Sable Noir se cabra. Une mauvaise habitude qu'il gardait de l'époque pourtant lointaine où son premier propriétaire le rouait de coups. Quelquefois, il se renversait en arrière. Alors, malheur à son cavalier !

Comment Pam allait-elle s'en tirer ? Elle se coucha sur l'encolure, contraignit le poulain à se reposer sur ses antérieurs. Mais, de nouveau, il se cabra. Cette fois, il essaya de se renverser. Il battait l'air de ses antérieurs, furieusement, faisait un ou deux pas en avant, dans un fragile équilibre. C'est que Pam avait changé de tactique. Elle l'obligeait à rester presque debout sur ses postérieurs.

Ce jeu périlleux se poursuivit pendant plusieurs minutes. Il exigeait, de la part de Pam, de la force, de l'habileté, une longue expérience et, surtout, un bon usage de l'instinct. Elle savait utiliser son propre poids avec une adresse presque diabolique. À la dernière fraction de seconde, elle se déplaçait légèrement sur la selle, et le poulain, dont elle semblait prévoir les moindres réactions, ne pouvait faire autrement que de rester debout sur ses postérieurs.

Henry Dailey avait souvent essayé de le guérir de cette méchante habitude de se cabrer. Il ne lui était jamais venu à l'idée de maintenir le poulain à la verticale, jusqu'au moment où il serait trop heureux de se reposer sur ses antérieurs et, peut-être, de se calmer.

Pam le garda donc à la verticale aussi longtemps que possible. Puis, lorsqu'elle sentit que ses postérieurs tremblaient, qu'il n'en pouvait plus, elle détendit les rênes, desserra ses genoux, se recoucha sur l'encolure et ordonna :

« Va, maintenant ! »

Littéralement, il se jeta en avant et partit au galop. Presque tout de suite, il fila à une allure folle. Alec pensa : « Si elle ne le freine pas, il va heurter la barrière, la défoncer. Il n'est pas question qu'il la franchisse. Elle est trop haute... »

Pam ne tenta même pas de le ralentir. Mais, à la dernière fraction de seconde, elle le fit tourner à gauche, si près de la barrière qu'elle sentit sa botte droite frôler une planche. Sable Noir obéit sans difficulté, puis revint à la même allure vers son point de départ, dans le bruyant roulement de ses sabots.

Elle l'arrêta à une trentaine de mètres d'Alec. Haletante, elle cria :

« Il est merveilleux ! Vous disiez qu'il s'appelle ?

— Sable Noir », répondit Alec.

Il la regardait, conscient de ce qu'elle venait d'accomplir et aussi heureux qu'elle. Elle possédait une assiette, des mains et des genoux meilleurs que ceux de tous les lads qu'il avait employés jusque-là. Surtout, une intelligence aiguë, des réflexes excellents.

« Sable Noir », répéta-t-elle, tandis que le poulain tirait sur les rênes, s'ébrouait. « Du sable noir, il y en a chez moi, en Floride, sur la plage... »

Puis, soudain :

« Permettez-moi de l'emmener en promenade. Il a envie de galoper. Ça ne peut lui faire que du bien. »

Alec ouvrit la porte de la barrière. « Elle a raison, pensait-il. Et puis, autant qu'elle se mette à l'ouvrage tout de suite... puisqu'elle est d'ores et déjà engagée. » Mais, cela, Pam ne le savait pas encore...

Il lui expliqua :

« Tout de suite derrière les écuries, vous trouverez une bonne piste. Ne vous en écartez pas. Elle vous conduira jusqu'aux limites du domaine. »

Il ne craignait plus pour sa sécurité. Selon toute évidence, elle n'ignorait rien de l'équitation. Et il lui avait fallu bien peu de temps pour connaître sa monture ! Sable Noir, impatient, se contentait de piaffer et de gratter le sol. Il percevait à peine le poids de la cavalière, mais il était extrêmement sensible à sa science et à sa compréhension.

Elle lui fit franchir la porte lentement, à un pas très contrôlé.

« Vous traverserez un petit bois, ajouta Alec. Ça

le changera un peu de décor. Mais, à ce moment-là, soyez prudente. »

Il aurait pu lui donner d'autres conseils. Mais il voyait qu'elle avait hâte de démarrer.

Elle se pencha et souffla à l'oreille du poulain :

« Va ! »

Il s'arracha au sol d'une détente puissante, à laquelle Pam s'attendait. Sinon, elle aurait été désarçonnée.

Alec les regarda s'éloigner, puis courut chercher sa jeep. Il irait jusqu'à l'extrémité du domaine. Là, il les attendrait et pourrait les observer pendant presque tout le parcours. Dans son esprit, l'engagement de Pam était décidé. Il voulait seulement recevoir confirmation de ce qu'il savait déjà.

*
* *

Pam et le poulain filaient comme une flèche à travers la prairie. Sur leur passage, un oiseau écarlate, un cardinal huppé, s'envola effrayé d'un buisson. Un peu avant la lisière du bois, Pam mit Sable Noir au petit galop, lui caressa l'encolure et le poussa sous les arbres. Le sentier était étroit, mais praticable. Puis, soudain, il disparut. Quand Pam s'en aperçut, il était déjà trop tard. Elle tira sur les rênes. Mais Sable Noir avait pénétré dans un épais fouillis végétal. Il se débattait au cœur d'un fourré presque impénétrable. Surtout, il essayait d'échapper aux coups que lui portaient quelques basses branches. Il dut croire qu'une main puissante le cinglait avec un fouet, comme aux plus mauvais jours de son enfance.

Enfin, il réussit à traverser le fourré et il déboucha sur une clairière. Là, il s'arrêta si brusquement que Pam vida les étriers, vola par-dessus la tête de sa monture, s'abattit dans l'herbe et roula plusieurs fois sur elle-même.

Quand elle rouvrit les yeux, elle aperçut Sable Noir arrêté à courte distance. Lentement, prudemment, elle fit mouvoir ses articulations l'une après l'autre. Des contusions certes, mais pas une fracture. Elle murmura en regardant le poulain :

« Ce n'est pas ta faute. C'est la mienne. »

Il tourna la tête vers elle. Il la regarda calmement. Dans ses larges prunelles sombres, il n'y avait plus la moindre trace de frayeur. Puis il se mit à brouter.

Elle continua de lui parler, toujours à mi-voix. De temps à autre, il redressait la tête, la regardait de nouveau. À la fin, sans hâte, il s'approcha, se pencha vers elle. Elle sentit sur son visage la chaleur de son haleine. Lorsqu'elle fut certaine qu'il était bien rassuré, elle se redressa, saisit l'étrier le plus proche, y glissa la pointe de sa botte et se hissa sur la selle.

Alec, ayant fait demi-tour, avait regagné le ranch et attendait le retour de Pam. De la lisière du petit bois, il avait assisté à l'accident. Tout de suite, il avait compris que la cavalière était indemne. Puis il l'avait entendue appeler le poulain et il l'avait vue saisir l'étrier. C'est alors qu'il avait jugé sa présence inutile.

« Que va-t-elle me raconter ? se demandait-il. Si, afin de ne pas perdre la face, elle garde le silence, pourrai-je avoir assez de confiance en elle pour lui laisser la responsabilité entière du ranch ? »

Il pensait que tous les cavaliers commettent des

fautes, mais que, s'ils hésitent à en faire l'aveu, ils ne méritent aucune estime.

Bientôt, elle apparut au petit galop. Elle avait les traits tirés, le visage brillant de sueur. Pourtant, elle sourit en déclarant gaiement :

« Il m'a désarçonnée. Pourtant, il n'a pas pris la fuite. »

Puis elle attendit, avec une expression qui semblait signifier, derrière son sourire : « Comment va-t-il prendre la chose ? »

Comme Alec se taisait, elle expliqua :

« J'ai eu tort de ne pas suivre votre conseil. En entrant dans le bois, je ne me suis pas assez méfiée. Quand il s'est senti fouetté par les branches, il est devenu fou et s'est débarrassé de moi. »

Elle répéta :

« Mais il n'a pas fui.

— C'est tout en votre faveur, admit Alec.

— S'il vous plaît, tenez-le », dit-elle en mettant pied à terre.

Elle courut à sa vieille voiture et revint, une carotte à la main. D'un coup de dents, elle en sectionna une bouchée, puis tendit le reste au poulain.

« Vous voyez, reprit-elle, nous sommes amis maintenant. Nous avons rompu le pain ensemble. »

Alec se demandait comment il allait faire pour l'imposer à Henry Dailey. La chose ne serait pas facile. En outre, il avait parfaitement compris qu'elle n'avait pas l'intention de passer toute sa vie au ranch de l'Espoir. Un jour, il y aurait dans sa tête ce déclic dont elle avait parlé, et elle partirait vers de nouvelles aventures...

Tandis qu'il réfléchissait, elle le regardait intensément, comme si elle lisait dans sa pensée.

« Je vous engage, déclara-t-il. Si cet emploi vous convient toujours...

— Oh ! il me convient ! » s'empressa-t-elle de répondre.

Elle ajouta en reprenant la bride de Sable Noir :

« Je vais le bouchonner à fond. Il en a grand besoin. »

Alec la suivit des yeux, tandis qu'elle conduisait le poulain aux écuries. Cela pouvait paraître incroyable : elle paraissait plus brave, plus courageuse que bien des hommes. Pourtant, elle sortait à peine de l'adolescence.

Le choc avec Henry Dailey ne tarderait pas à se produire. En effet, Alec était attendu le lendemain sur l'hippodrome d'Aqueduct, à New York, Black devait courir à la fin de la semaine. Alec décida de ne faire allusion à Pam qu'après la course. Si Black gagnait — comme on pouvait s'y attendre — Henry, de bonne humeur, accepterait peut-être qu'une fille fût employée comme lad au ranch de l'Espoir.

# Chapitre 3

# L'étalon noir
# entre en scène

À l'hippodrome d'Aqueduct, le samedi suivant, vers la fin de l'après-midi, Black, sellé, attendait que commençât la course principale. Débarrassé de toute graisse et de toute chair inutile, l'étalon noir était au meilleur de sa forme.

Il semblait se rendre compte qu'il n'avait jamais paru plus beau, car, par jeu, il feignait l'impatience et se débattait contre Alec qui se tenait à sa tête. Il grattait le sol du sabot, se cabrait à demi. Sa crinière, brossée et peignée un moment auparavant, s'envolait autour de son encolure à la courbe majestueuse, et ses grands yeux couvaient avec des éclairs irrités les autres chevaux qui arpentaient le paddock.

« Tiens-le bon », ordonna Henry Dailey d'un ton sans réplique, comme s'il s'adressait à un inférieur.

Il était occupé à serrer la sangle. L'effort crispait ses sourcils grisonnants et creusait les rides de son front. Lorsqu'il estima que la sangle était convenablement serrée, il glissa la main sous un quartier de la selle et palpa l'un des sacs de plomb.

« Aucun cheval ne devrait porter autant de poids, dit-il. Mais c'est sans importance. Nous ne craignons personne. »

Alec se taisait, sachant fort bien que le vieil entraîneur n'attendait de lui aucun commentaire. Pour égaliser les chances, certains concurrents portaient une surcharge. Décidée par les handicapeurs, cette surcharge était constituée de sacs de plomb placés sous les quartiers de la selle. On tenait compte aussi du poids du jockey. Naturellement, les cracks étaient bien plus surchargés que les autres concurrents. C'est ainsi que Black devait, à chaque épreuve, essayer de se tirer d'affaire avec des sacs d'un poids souvent considérable.

Henry Dailey recula d'un pas. Le vieil entraîneur était un homme trapu, à la poitrine large, au visage rond et au nez semblable au bec d'un oiseau de proie. Il examina les antérieurs de l'étalon noir, ses flancs, son poitrail. Non, pas un défaut ni la moindre écorchure.

Le juge du paddock éleva la voix :

« Messieurs, à cheval. »

On aida Alec à se hisser en selle. Il rassembla ses rênes, tout en parlant à Black dans une sorte de murmure que l'étalon noir était seul à comprendre. En général, Black se calmait dès qu'il sentait qu'Alec avait chaussé les étriers. Mais, bientôt, il donnait de nouveau des signes d'impatience. Il n'aimait guère attendre.

« Quelles sont vos instructions ? » demanda Alec à Henry Dailey.

Celui-ci venait de se hisser sur Napoléon, vieux hongre gris, bien tranquille, qui était depuis longtemps le compagnon d'écurie de l'étalon noir, et il s'apprêtait à accompagner Alec et Black jusqu'aux stalles de départ. Il secoua la tête et répondit en prenant la bride de Black :

« Fais ta course comme tu l'entends. Il y a beau temps que je n'ai plus rien à t'apprendre ! »

Puis il manœuvra pour placer Napoléon entre Black et un concurrent qui le serrait d'un peu trop près.

Au milieu de la piste, se dressait un cavalier à tunique rouge, coiffé d'une bombe noire. Ce cavalier porta à ses lèvres une longue corne de chasse et lança quelques notes aiguës. Henry Dailey tressaillit. Pourtant, cela faisait bien des années qu'il avait entendu cet appel pour la première fois. Aujourd'hui, il avait les cheveux grisonnants et il se sentait aussi vieux que Napoléon.

Les tribunes étaient combles. Les spectateurs attendaient, crispés. Il y avait neuf concurrents dans cette course appelée le Roseben Handicap. Elle se disputait sur mille quatre cents mètres et devait rapporter au vainqueur vingt-cinq mille dollars. Oui, neuf concurrents. Pourtant, la foule n'avait d'yeux que pour l'étalon noir.

Tout le monde savait que ce grand champion restait égal à lui-même. Mais il y avait la fameuse incertitude du sport ! En outre, il ne fallait pas oublier que Black portait soixante-neuf kilos, alors que certains concurrents n'en portaient pas plus de cinquante. Restait la distance. Elle était courte pour un cheval comme Black. Il aurait peut-être du mal à rattraper les autres avant l'arrivée, si son jockey commettait la moindre faute... Assister à la défaite du plus célèbre crack de tous les temps, quel souvenir pour les turfistes !

En assujettissant les rênes dans ses mains. Alec se surprit à penser de nouveau à Pam. N'avait-il pas eu tort de ne pas avouer immédiatement à Henry Dailey qu'il avait engagé comme lad une fille ? Il est vrai que le vieil entraîneur ne lui avait pas posé la moindre question au sujet du ranch. Il était bien trop accaparé par les préparatifs de la course ! Maintenant, presque une semaine s'était écoulée. Comment Pam se débrouillait-elle au ranch avec Sable Noir et les autres poulains ?

Arrivé aux stalles de départ, Henry Dailey fit demi-tour et s'éloigna. Entre les oreilles de Black, Alec voyait à l'ouest le soleil qui se couchait derrière les gratte-ciel de New York. Il jeta un regard aux autres chevaux. Ce n'étaient pas eux qu'il redoutait, mais leurs jockeys. Ces derniers, parmi les meilleurs de la profession, étaient rompus dans l'art d'exploiter la plus petite erreur. « Et même, songeait Alec, de m'inciter à en commettre une, énorme, qui priverait Black d'une victoire ! »

Les concurrents allaient et venaient autour de lui, attendant d'être conduits dans les stalles de départ. Ils allaient lentement, cravache en main. Leurs visages, qui ne trahissaient aucune émotion, semblaient sculptés dans le bois ou taillés dans un cuir particulièrement dur. Sous les casaques luisantes, leurs corps avaient une sécheresse athlétique. Leurs bouches, minces, serrées, cruelles, renforçaient encore l'expression impitoyable de leurs yeux mi-clos.

Depuis longtemps, Alec était l'un des leurs...

Il s'arracha à l'image de Pam, à la joie qui éclatait sur son visage lorsqu'elle montait Sable Noir :

« Ce n'est pas le moment de rêver. Revenons sur terre ! »

Peu après, il fit entrer Black dans la stalle n° 1. Les autres jockeys poussèrent leurs chevaux dans les stalles voisines. Tous parlaient d'une voix forte, arrogante. C'était aussi sur ce ton qu'ils interpellaient le starter. Ils avaient en eux-mêmes une confiance illimitée. Chacun d'eux était visiblement persuadé d'obtenir de son cheval le maximum de ce qu'il pouvait donner.

Alec abaissa ses grosses lunettes et ne regarda plus que le champ de bataille qui se déployait devant lui. Le dos arrondi, les genoux au pommeau de la selle, les muscles tendus, il était prêt à démarrer. Soudain, la cloche sonna. D'instinct, il laissa glisser les rênes entre ses doigts et joignit sa voix à celles de ses rivaux :

« Ah ! Ah ! Ah ! »

Brusquement, voyant qu'un cheval se plaçait devant le sien, il raccourcit un peu ses rênes. Une fraction de seconde d'inattention... et il s'était laissé surprendre ! Furieux contre lui-même, il chercha à libérer Black de la masse mouvante des concurrents qui se pressaient autour de lui.

Plusieurs fois, il leva sa cravache et l'abaissa, toutefois sans toucher Black, mais pour le stimuler, le contraindre à se faufiler et à trouver une issue. Il hurlait des injures à ses voisins et même des menaces, espérant ainsi les forcer à lui livrer passage. Sinon, un accident peut-être mortel était possible autant pour lui-même que pour sa monture.

Le peloton dévalait la première ligne droite. Elle était longue de six cents mètres. Ensuite, il y aurait le tournant : quatre cents mètres, puis les quatre

31

cents mètres de la deuxième ligne droite... et le poteau d'arrivée.

Il fallait à tout prix dégager Black avant le tournant. Ses larges foulées le gênaient dans les virages et, quelquefois, lui faisaient perdre du terrain. Si cela continuait, Black ne disposerait plus d'une distance suffisante pour rattraper ses rivaux.

Alec cherchait toujours une brèche. Il avait commis une faute mais il lui restait peut-être le temps de la réparer. Il essaya d'orienter Black vers la corde, progressivement, millimètre après millimètre. Les autres chevaux se resserrèrent, formèrent devant l'étalon noir une sorte de mur. Alec revint vers le centre du peloton, tenta de se faufiler entre deux concurrents. Peine perdue ! Chaque fois qu'il amorçait une manœuvre, elle était immédiatement déjouée. À un moment, il dut même tirer avec violence sur ses rênes pour empêcher une collision. Black, la bouche meurtrie par le mors, cria de souffrance et de rage.

Et puis, tout à coup, Alec vit enfin l'ouverture qu'il cherchait depuis le départ. Par tous les moyens — genoux, talons, voix et cravache — il stimula Black, le poussa à toute force entre les concurrents. L'étalon noir, bousculé, risquait à chaque instant d'être déséquilibré, jeté au sol. Mais il était déchaîné. Avec une énergie furieuse, il réussit à se faufiler dans la masse vivante, hostile et terriblement dangereuse qui cherchait à le retenir, à briser son effort. Puis, soudain, il émergea du peloton, le laissa en plan et fonça vers le tournant.

Toutefois, il y avait encore devant lui deux concurrents, ceux qui, depuis le départ, tenaient la tête. Dans le tournant même, Alec se lança à leur poursuite. La distance jusqu'à la ligne d'arrivée se réduisait de seconde en seconde. La partie était-elle perdue ? Black aurait-il le temps de rejoindre les fuyards ? Il ne restait plus à couvrir que la dernière ligne droite. Alec se coucha sur l'encolure, le visage enfoui dans la crinière. Il n'avait plus besoin de stimuler Black. Celui-ci, sachant bien ce qu'on attendait de lui, filait ventre à terre dans le sillage de ses deux plus inquiétants adversaires.

Les spectateurs des tribunes se levèrent d'un même mouvement. Pour la première fois, Black serait-il vaincu ? Sa vitesse était exceptionnelle, mais difficile à apprécier, tant son puissant galop paraissait léger, facile, comme le mouvement continu d'un torrent.

La ligne n'était déjà plus qu'à cinquante mètres. Alec comprit alors que rien n'était perdu. Il hurla dans le vent à l'instant où Black dépassait les concurrents. Black seul entendit son hurlement de victoire. Il força encore l'allure et, dans un ultime et prodigieux effort, il arracha deux longueurs à ses adversaires et franchit la ligne d'arrivée.

*
* *

De retour aux écuries, Henry Dailey demanda à Alec :

« Au départ, tu t'es laissé surprendre. Que s'est-il produit ? Tu dormais ? »

Alec haussa les épaules.

« Qu'est-ce que ça peut faire, puisque nous avons gagné ? »

Henry Dailey n'insista pas. D'ailleurs, il savait de longue date que bien des jockeys étaient sujets à des étourderies de ce genre... Un moment, il suivit du regard un lad promenant un alezan qui allait participer à la dernière course de l'après-midi.

« Qu'est-ce que c'est que ça ? » demanda-t-il d'un ton sarcastique.

Pas de doute, malgré son blue-jean sali, son sweater reprisé, sa vieille casquette à longue visière, ce lad était une fille.

« Un peu plus d'un mètre cinquante et cinquante kilos, reprit Henry Dailey. Elle a exactement la taille et le poids d'un jockey. En voilà une qui doit regretter de ne pas être un garçon !

— Je ne crois pas qu'elle regrette quoi que ce soit, dit Alec. Je l'ai aperçue l'autre soir dans le hall d'un cinéma. Elle était très élégante, très féminine. Pourtant, toute la journée, elle porte des seaux d'eau, elle fait du pansage, elle nettoie les écuries.

— N'importe, dit Henry Dailey, j'estime que les filles n'ont pas leur place dans un endroit comme celui-ci. Leur seule présence pose des problèmes. Elles ont tendance à se montrer un peu trop sensibles, à faire du sentiment, même avec les chevaux.

— Ce n'est pas bien grave, objecta Alec.

— Oh ! si. Notre profession est rude. Elle n'est pas pour les filles. Vois-tu, Alec, je pense qu'une fille doit se marier, avoir des enfants. Voilà tout. »

Ce n'était pas la première fois qu'Alec entendait Henry Dailey tenir ce langage. Il reprochait aux filles de manquer de courage, d'avoir peur pour un oui ou un non, d'avoir beaucoup moins de résistance que les garçons, etc.

Alec estima que le moment eût été mal choisi pour annoncer à Henry qu'il avait engagé Pam, à moins que, par un biais quelconque, il ne fût question soudain du ranch de l'Espoir. Cependant, Alec ne put s'empêcher de prendre la défense de toutes les filles — et elles étaient assez nombreuses — qui travaillaient dans les élevages et sur les hippodromes.

« Reconnaissez au moins, dit-il, que les filles sont supérieures aux hommes lorsqu'il s'agit d'entretenir les harnachements et les boxes. En outre, elles sont plus patientes avec les chevaux. Elles préfèrent caresser plutôt que de frapper.

— Oh ! pour ce qui est de caresser, elles s'y connaissent ! s'exclama Henry Dailey. Mais toute caresse est amollissante. Ce qu'il faut, dans notre profession, c'est avant tout de l'énergie et de la fermeté. Pas de sentiment, pas de tendresse. »

Alec ne connaissait que trop bien ce genre de discours. Henry Dailey affectait avec les filles une sorte de compréhension mêlée d'indulgence. En réalité, il les détestait. Et elles le lui rendaient au centuple !

Brusquement, Alec, au comble de l'agacement, obéit à un besoin de provocation.

« Nous-mêmes, avoua-t-il, nous venons d'engager une fille. »

Henry Dailey fronça les sourcils.

« Qu'est-ce que tu racontes ?

— Vous m'avez parfaitement entendu : nous venons d'engager une fille. Elle est au ranch. Elle s'occupe des poulains. J'ai été obligé de renvoyer le lad. Il buvait. »

Henry Dailey resta un moment silencieux, puis il explosa :

« Je t'ai expliqué au moins cent fois que, lorsqu'elles sont dans la place, on ne peut plus s'en débarrasser !

— Pas celle-là. Elle n'a pas l'intention de s'incruster. Elle repartira un de ces quatre matins, comme elle est arrivée. Elle me l'a affirmé.

— Et tu l'as crue ? Elles sont toutes comme ça. Elles racontent n'importe quoi. Des filles qui étaient trop gâtées chez elles, trop heureuses. Elles quittent leurs familles. Elles vont à droite et à gauche. Elles sont romanesques, vaniteuses, prétentieuses !

— Vous ne la connaissez pas. Comment pouvez-vous la juger ?

— Je n'ai pas besoin de la voir pour la connaître. Comment as-tu pu te laisser entortiller aussi facilement ?

— Je ne me suis pas laissé entortiller ! protesta Alec. J'ai constaté qu'elle était compétente, qu'elle n'ignorait rien du métier. C'est pourquoi je l'ai engagée.

— Et jolie, avec ça ?

— Pas mal, je dois l'avouer, répondit Alec. Mais, si elle avait été laide, c'était la même chose. Elle monte à la perfection. Cependant, vous n'en saurez jamais rien, puisque vous ne voulez pas d'elle.

— Je ne veux pas d'elle chez nous, précisa le vieil entraîneur. Qu'elle aille où elle voudra. C'est son affaire. Dois-je te rappeler que, si nous sommes associés, c'est moi qui ai la responsabilité de tout ce qui se fait au ranch ?

— Si je vous comprends bien, Henry, il faut que je la chasse uniquement parce qu'elle est une...

— Une fille, oui. Je ne veux pas de fille dans notre personnel. Je n'en veux pas comme lad. Dis-le-lui et mets tout sur mon dos. Elle ne t'en voudra pas. »

Alec cria :

« Impossible ! Je ne me vois pas la chassant pour une raison aussi ridicule ! »

Henry Dailey répliqua d'un ton inflexible, avec un regard soudain assombri :

« Il va donc te falloir choisir entre elle et moi.

— Vous plaisantez ?

— Pas le moins du monde.

— Voyons, Henry, c'est grotesque ! Vous me quitteriez parce que j'ai engagé cette fille ? Je ne vous crois pas.

— Tu as tort, Alec. C'est toi qui décideras. Retourne au ranch et, je le répète, choisis entre elle et moi. »

Ces derniers mots prononcés, le vieil entraîneur pivota sur ses talons et laissa Alec seul avec ses pensées.

# Chapitre 4

# Poivre Noir

La nuit était tombée quand Alec arriva au ranch de l'Espoir. Il se dirigea sans hésiter vers les écuries. Il verrait Pam et réglerait l'affaire aussi vite que possible. Ensuite, il dormirait tranquille.

Il avait décidé de la laisser partir. Certes, il aurait pu essayer de la retenir. Mais c'eût été folie devant une hostilité aussi résolue que celle d'Henry Dailey.

Avant de quitter l'hippodrome d'Aqueduct. Alec était presque résolu à garder Pam. Il était prêt à lutter contre Henry aussi longtemps qu'il le faudrait. Puis il avait entendu résonner à ses oreilles la menace formulée par le vieil entraîneur : « Ce sera elle ou moi. » Henry était bien capable de mettre cette menace à exécution ! « S'il rompt notre association, se répétait Alec, c'en est fini du ranch... »

Il arrêta sa voiture et descendit. Immobile dans la pénombre, il huma l'odeur de l'herbe nouvelle et celle des chevaux qui broutaient dans les enclos. Les barrières blanches se dessinaient en traits vagues, ainsi que les pistes d'entraînement et les divers bâtiments. « Si Henry s'en va, se disait Alec, il faudra que je parte moi aussi... Mais c'est impossible ! Comment pourrais-je vivre ailleurs ? »

Sûrement, Pam comprendrait très vite. Capable comme elle l'était, elle trouverait sans peine un emploi autre part. Il n'y avait donc pas à s'inquiéter à son sujet, ni à s'embarrasser de trop de scrupules.

Il pénétra dans l'établissement. À droite et à gauche de l'allée centrale, des boxes s'alignaient, tous occupés par des poulains de deux ans. Alec s'arrêta devant l'un des boxes, regarda à travers les barreaux et dit à mi-voix :

« Eh bien, Sable Noir, viens ici, voyons. »

Mais le poulain se secoua et demeura à l'endroit où il était, tout au fond du box. Puis, baissant la tête, il se mit à souffler dans le seau qui lui servait d'abreuvoir. Pour ne pas être aspergé, Alec dut reculer.

« Ça va, dit-il. À demain matin. »

Il avait entendu un bruit venant du logement situé au-dessus des boxes. Quelqu'un, là-haut, faisait de la musique. Il se précipita vers l'escalier, gravit les marches presque en courant. La porte du logement était entrouverte.

« Pam, appela-t-il, il faut que je vous voie. »

Pas de réponse. Mais la musique continuait, en sourdine.

« Pam ! » répéta-t-il plus fort, avec un accent d'impatience.

Il poussa un peu la porte et resta sur le seuil, ne voulant pas être trop indiscret.

Il jeta un regard à l'intérieur. Quels changements ! Les meubles avaient été déplacés, le décor amélioré. Par exemple, il y avait des fleurs partout. Encore une fois, Alec répéta :

« Pam, êtes-vous là ? C'est Alec. »

L'électrophone automatique s'arrêta de lui-même. Alec franchit enfin le seuil. Pam avait fixé aux murs quelques gravures aux couleurs violentes. Sans doute était-elle en train de lire lorsqu'elle avait dû quitter la pièce, car il y avait encore un livre ouvert sur l'un des fauteuils. Plusieurs autres livres étaient dispersés çà et là, parmi d'assez nombreux disques.

Sur une petite table ronde, Pam avait laissé, comme en évidence, un album de photos, format de poche. Alec le feuilleta, vit défiler, sur une plage de Floride, un homme, une femme, des adolescents et des enfants. La famille de Pam : père, mère, frères et sœurs. On voyait même plusieurs chiens et la jument à laquelle Pam avait fait allusion. En réalité, Pam n'était pas seule au monde. Elle avait en Floride des racines. Elle ne serait jamais abandonnée, à la dérive...

« Henry a tort, songea Alec, quand il prétend qu'elle n'est qu'une enfant gâtée. Elle n'est pas que cela, j'en suis certain. »

Mais, pour l'instant, qu'était-elle devenue ? Peut-être était-elle partie se promener au clair de lune sur l'une des pistes du ranch. Au fond, elle était bien libre de faire ce qu'elle voulait.

Alec griffonna un billet où il lui disait qu'il la verrait le lendemain, qu'il avait à lui parler. Puis, ayant posé ce billet sur la table, près de l'album, il sortit du logement.

*
* *

Le lendemain, les choses ne se passèrent pas comme il les avait prévues. Ayant eu une nuit agitée, il se leva assez tard et, quand il arriva aux écuries, on lui apprit que Pam se trouvait déjà au travail sur la piste. Or, justement, il avait espéré bavarder avec elle avant qu'elle commençât sa tâche quotidienne. Ainsi, elle aurait pu boucler sur-le-champ ses bagages et ne même pas retarder d'un jour son départ.

Il y avait deux palefreniers affectés à l'établissement. Ces hommes étaient en train de nettoyer les boxes — les soins aux chevaux étant strictement réservés à Pam. Ils suivaient Alec du regard, tandis que celui-ci inspectait les boxes et examinait chaque cheval.

Lorsqu'il eut atteint l'extrémité du bâtiment, Alec pénétra dans la sellerie et se planta devant une grande feuille de papier fixée à l'un des murs. C'était lui qui, avant son départ pour l'hippodrome d'Aqueduct, avait remis cette feuille à Pam. Il y avait établi une liste de dix poulains ainsi que, pour chacun d'eux, une sorte d'emploi du temps. Et il avait prié Pam de les noter selon leurs progrès.

Ce matin-là, Pam avait déjà monté trois poulains et, en regard de leurs noms, elle avait griffonné des commentaires. Par exemple, elle estimait que Sable Noir, ayant couvert facilement huit cents mètres en cinquante secondes, pouvait faire encore des progrès. Alec avait tendance à partager ce point de vue. Il connaissait bien Sable Noir, et il savait que celui-ci, poulain robuste et précoce, pouvait gagner des courses dès cette année, surtout si on le réservait aux distances les moins longues.

Les deux autres poulains que Pam avait montés ce matin-là étaient de ceux qui semblent avoir été créés pour les longs efforts. Le premier ne donnait le meilleur de lui-même qu'en fin d'exercice et le second avait montré dans son galop qu'il avait beaucoup de tenue. Pour le dernier, Pam avait noté que sa ferrure avait besoin d'être vérifiée.

En ce moment même, elle montait Poivre Noir, la seule pouliche de l'établissement. Alec jugeait cette pouliche excellente. Certes, elle manquait de cervelle, mais elle possédait toutes les qualités d'un cheval de course. La difficulté était de lui faire comprendre ce qu'on attendait d'elle. Entre autres, il avait fallu des jours et des jours pour l'habituer à s'approcher d'une stalle de départ.

Alec saisit une selle et une bride, puis sortit de la sellerie.

« Sam, demanda-t-il à l'un des palefreniers, quand je suis arrivé, Pam était-elle partie depuis longtemps ?

— Elle venait juste de partir. Elle n'est peut-être même pas encore sur la piste. »

Une minute plus tard, Alec sautait sur un poulain bai et s'éloignait au petit galop. Il se souvenait que Poivre Noir n'avait jamais donné que des ennuis. Cette pouliche traitait comme autant de nouveautés certains exercices qu'on essayait de lui apprendre pour la centième fois. Était-elle stupide ? N'était-elle pas plutôt obstinée et acariâtre comme l'avait été sa mère, Black Minx ?

Mais, malgré ses défauts, Black Minx avait gagné le Derby du Kentucky. Donc, Poivre Noir ne pouvait que mériter tout le mal qu'on se donnait pour lui apprendre à entrer dans une boîte de départ et à en sortir correctement. Bien sûr, une pouliche exige certains ménagements dont on se soucie peu lorsqu'il s'agit d'un poulain. Pam, douce et patiente,

devait donc réussir là où un garçon aurait sans doute échoué.

Dès qu'Alec aperçut au loin la cavalière et sa monture, il serra les genoux et fit prendre à Black Out, le poulain bai qu'il montait, un galop plus rapide. Ce poulain n'avait pas toujours accepté de bonne grâce le dressage. Mais il était intelligent et, aujourd'hui, il faisait à la perfection tout ce qu'on exigeait de lui. Entre autres, il sortait de la boîte de départ aussi bien qu'un vieux routier des terrains de courses. Peut-être serait-il, pour Poivre Noir, un bon exemple. En tout cas, Pam ne pourrait que se féliciter de voir un autre cheval occuper la boîte voisine de celle de Poivre Noir. Si elle parvenait à l'y faire entrer ! On devrait toujours appliquer cette méthode pour un dressage de ce genre. Les chevaux aiment se sentir entourés de leurs congénères. Ils se stimulent et se rassurent l'un l'autre.

Alec rejoignit Pam à l'instant où elle s'engageait sur la piste d'entraînement.

« Il y a longtemps que je vous attendais, dit-elle. Vous avez manqué le plus intéressant : Sable Noir.

— Je le verrai demain.

— Vous restez donc ? Je suis contente. »

Alec la regarda. Avait-il perdu la tête ? Comment osait-il parler de demain, alors qu'il s'apprêtait à la prier de quitter les lieux aujourd'hui même ?

Peu après, ils s'arrêtèrent derrière les quatre boîtes de départ faisant partie du matériel du ranch. Un palefrenier nommé Max se tenait à côté. C'était lui qui était chargé de les manœuvrer.

« Vous a-t-elle donné du mal ? demanda Alec à Pam en montrant Poivre Noir.

— Énormément. Mais elle s'y fera. Il suffit d'être patient. »

Elle se pencha en avant et montra le haut de l'antérieur droit de la pouliche :

« Elle doit souffrir à cet endroit, dit-elle.

— Possible, fit Alec. Mais, à mon avis, c'est surtout dans sa tête que quelque chose ne va pas.

— C'est aussi mon avis, répondit Pam. Il doit y avoir dans son cerveau une obsession, la crainte des espaces clos... une sorte de claustrophobie, comme chez certains êtres humains. Elle semble avoir horreur des boîtes de départ : intérieur étroit, portes fermées.

— On va encore essayer, dit Alec. Si elle s'obstine à refuser, elle ne courra jamais. »

Il regarda Pam pousser Poivre Noir vers l'une des portes. Elle la caressait, essayait de la rassurer. La pouliche hennissait, semblait en confiance. Mais cette confiance durerait-elle ?

Max, le palefrenier, commit alors une imprudence. Voyant que la pouliche commençait à hésiter, il la saisit par la bride et essaya de la conduire jusqu'à la porte. Elle se débattit, rua, se dressa sur ses postérieurs, secoua la tête avec tant de violence que le palefrenier faillit tomber et dut la lâcher. Pam elle-même perdit l'équilibre et aurait glissé de sa selle si Alec, la voyant en difficulté, ne s'était approché au trot de son poulain bai. Il la retint au moment où elle allait vider les étriers. Elle raccourcit les rênes et maîtrisa la pouliche.

« Ouf ! souffla-t-elle. Cette fois, j'ai bien cru qu'elle allait se débarrasser de moi !

— Si j'avais été à votre place, dit Alec, je crois que j'aurais été désarçonné purement et simplement.

« — Je suis heureuse que vous soyez ici aujourd'hui, reprit Pam. Chaque jour, elle me joue la même comédie. Et, naturellement, elle ne fait pas de progrès.

— Eh bien, cette fois, nous allons essayer ensemble », décida Alec.

Il prit la bride de Poivre Noir et la conduisit vers l'une des portes. Sur le moment, la pouliche se montra docile. Subissait-elle l'influence du calme poulain bai que montait Alec ?

Mais, brusquement, à l'instant où elle n'était plus qu'à un mètre de la porte, elle recommença à se débattre, à essayer de se libérer. Cependant, phénomène imprévu, au lieu de chercher à s'éloigner de la porte, elle fonçait dans sa direction !

« Décidément, elle est folle ! s'exclama Alec lorsqu'il fut parvenu à la stopper. D'abord, elle refuse d'entrer. Ensuite, elle semble vouloir tout casser !

— C'est la peur, dit Pam. Une peur maladive. Je vais essayer un autre moyen. »

Elle se mit à siffler très bas, avec douceur. Puis elle parla tendrement à la pouliche :

« Il ne s'agit plus de jouer la comédie ou d'avoir peur. Attends que je te dise d'avancer. Surtout, pas de hâte. Tu n'as absolument rien à craindre. »

Alec écoutait en silence. Certes, la pouliche ne comprenait rien aux mots prononcés. Mais elle ne resta probablement pas insensible à la voix. Le procédé réussissait avec certains chevaux. Tout dépendait de la profondeur des sentiments du cavalier — ou de la cavalière — et de sa capacité de communiquer avec un être si différent des humains.

Alec ne pouvait qu'attendre. Il n'interviendrait

que si Pam avait besoin de lui. Il avait connu nombre de jeunes chevaux « difficiles ». Avec Poivre Noir, on avait l'impression de se heurter à un roc, un tempérament inflexible. Quel succès pour celui — ou pour celle — qui parviendrait à la dompter et à la conduire jusque sur les champs de courses !

Pam continuait à parler à mi-voix, à siffler en sourdine. Finalement, elle se décida à faire avancer la pouliche. Mais celle-ci s'arrêta juste devant la porte de la stalle automatique. De nouveau, Pam siffla et murmura, et les minutes passèrent.

Alec, à son tour, fit avancer son poulain. Il espérait que la pouliche suivrait. Et, de fait, elle suivit. Tandis que le poulain bai pénétrait dans une stalle, Poivre Noir entrait, un petit pas après l'autre, dans la boîte voisine. Bien sûr, toutes les portes restèrent ouvertes. Cependant le but était atteint : la pouliche — pour combien de temps ? — était entre les parois d'une stalle de départ.

Max ferma les portes arrière. Alec crut que Poivre Noir, au seul cliquetis du verrouillage, allait bondir. Avec surprise, il constata qu'elle bougeait à peine.

Max, ayant contourné les stalles automatiques, se tenait maintenant devant les cavaliers, prêt à fermer les portes avant. Il consulta Alec du regard.

« Fermez d'abord la mienne », lui dit celui-ci.

Max s'exécuta. Le poulain bai ne tressaillit même pas quand la porte de son box se ferma presque au ras de ses naseaux.

Alec se tourna vers l'autre boîte. Déjà, le palefrenier commençait à fermer la porte avant. Cette fois, il procédait lentement, sans produire d'autre bruit qu'un grincement si léger qu'il était couvert par le murmure continu de Pam à la pouliche.

« Parfait, Max, dit Alec. Si la pouliche ne bouge pas, rouvrez tout de suite. Elle sortira sans avoir eu le temps de se mettre en colère, et ça l'aidera peut-être à comprendre qu'elle n'avait rien à craindre. »

Puis, s'adressant à Pam :

« Faites-la sortir lentement. Ne la poussez pas. Laissez-la faire. »

Pam parlait toujours à la pouliche. Celle-ci donnait de temps à autre un coup de sabot dans une paroi. Mais ce mouvement de nervosité restait sans suite. On pouvait être certain maintenant que Poivre Noir sortirait sans se blesser. Alec n'en demandait pas plus, du moins pour l'instant.

« Max, dit-il, à vous de jouer ! »

# Chapitre 5

# La morsure

La cloche tinta et les portes s'ouvrirent. Malgré lui, instinctivement, Alec cria en détendant les rênes :

« Ah ! Ah ! »

Black Out, le poulain bai, jaillit droit de la boîte de départ.

Alec tourna vivement la tête pour observer la pouliche. Elle était sortie presque au pas. Cependant, elle se rattrapait déjà ! Elle galopait, mais vers la corde ! Pam eut assez de mal à la remettre dans le bon chemin.

Quant à Alec, il attendait que son poulain bai eût trouvé la bonne cadence. Il le retenait un peu, espérant qu'il ne tarderait pas à prendre un galop régulier, pas trop rapide : cinquante-cinq ou cinquante-six secondes pour huit cents mètres.

Black Out franchit le poteau des premiers deux cents mètres, emmenant Poivre Noir dans son sillage. Il leur restait six cents mètres à couvrir. Alec se mit à compter les secondes et fractions de seconde. Tout jockey a besoin de connaître l'allure de son cheval. Le galop de Black Out avait encore quelque chose d'irrégulier. Mais, dans plusieurs mois, il découvrirait lui-même la cadence idéale, celle qui lui permettrait d'utiliser au mieux ses qualités.

Alec entendit le battement régulier des sabots de Poivre Noir. La pouliche se rapprochait. Alec faillit céder au démon de la compétition. Il commença de détendre ses rênes, puis se ressaisit. Un entraînement n'était pas une course ! Il jeta un coup d'œil à Pam et se rendit compte que, comme lui-même, elle savourait le vent qui la fouettait au visage et qu'elle était toute au plaisir de galoper.

La pouliche dépassa bientôt, de sa tête petite, bien modelée, le poulain bai. Elle semblait animée par la volonté de gagner. C'était très bon signe. Avec le temps, pensa Alec, elle deviendrait peut-être une championne, comme Black Minx, sa mère.

Les secondes s'écoulaient. Les deux poulains prirent ensemble le premier tournant, non sans une certaine maladresse, car ils étaient encore bien jeunes et inexpérimentés. Par exemple, Black Out perdit un peu de terrain. Alec dut le stimuler de la voix et des talons pour lui permettre de rejoindre Poivre Noir.

Pendant la deuxième ligne droite, lorsqu'ils eurent dépassé le poteau des quatre cents mètres, Alec cria à Pam :

« Trente secondes et des poussières ! Ne retenez pas trop votre pouliche. »

Sans se retourner, elle fit « oui » de la tête. Couchée sur l'encolure, elle mêlait ses cheveux blonds à la crinière sombre de la pouliche. En un instant, celle-ci prit une demi-longueur à son rival. Alec pressa l'allure du poulain bai. Cependant, il resta derrière la pouliche. Il fallait ne pas lui enlever la confiance qu'elle montrait en elle-même et la laisser avec l'impression qu'elle était capable de gagner. Au reste, elle galopait visiblement avec ivresse. Elle luttait pour se débarrasser des rênes qui la retenaient encore.

Pam lui laissa un peu plus de liberté, de sorte qu'elle prit en quelques secondes une demi-longueur de plus au poulain bai. Lorsque les deux concurrents passèrent devant le troisième poteau — il ne leur restait donc que deux cents mètres à couvrir — Alec se demanda si Pam ne cachait pas un chrono dans l'une de ses mains, tant elle semblait en harmonie avec le glissement des secondes.

À la sortie du tournant final, Pam accentua l'avance de sa pouliche. Alec fut alors certain qu'elle serrait un chrono dans sa main. Lui aussi pressa sa monture et ne la retint un peu que quand il galopa botte à botte avec Pam. Ainsi qu'il l'avait souhaité, les huit cents mètres allaient être couverts en cinquante-cinq secondes.

Peu après, ils dépassèrent le poteau d'arrivée, tirèrent sur les rênes, mais ne s'arrêtèrent qu'après avoir galopé encore deux cents mètres.

« Il me semble que nous avons fait un bon temps, dit Alec. Cinquante-cinq secondes, n'est-ce pas ?

— Oui, à peu près, répondit Pam.

— Comment "à peu près" ? Vous n'avez donc pas de chrono ?

— Désolée. Il est dans ma chambre. Je l'ai oublié.

— C'est sans importance, après tout. Je vois que

vous n'en avez pas besoin. Votre cerveau semble aussi précis qu'un chrono. »

Ils quittèrent la piste et prirent la direction des écuries. Pam allait en tête. Alec remarqua l'élégance et la souplesse avec lesquelles elle montait. Elle avait eu sûrement un bon maître.

« Votre père est-il cavalier ? demanda-t-il.

— Bien sûr, répondit-elle sans se retourner.

— Professionnel ?

— Oh ! non ! s'exclama-t-elle en riant. Mais il a des amis qui, eux, sont des professionnels et qui m'ont appris tout ce que je sais. J'ai eu de la chance. Mais peut-être avez-vous entendu parler du capitaine Bill Heyer par exemple et de Stanley White ?

— Non, dit Alec. Vous savez, je ne connais pas tout le monde. »

Ils continuèrent à cheminer l'un derrière l'autre. Alec se demandait comment il trouverait le courage de la prier de quitter le ranch, surtout après le travail qu'elle avait déjà fait et le petit exploit qu'elle venait d'accomplir. Et puis, elle avait l'air si heureuse !

Dans la cour, ils dessellèrent leurs chevaux, les bouchonnèrent et, après les avoir lavés au jet d'eau, ils les promenèrent au soleil jusqu'à ce qu'ils fussent secs. Puis ils les placèrent dans leurs boxes respectifs. Tout en travaillant, ils parlaient de tout et de rien, parfois de détails insignifiants. Ils ne firent pas une seule fois allusion aux choses sérieuses : entraînements, courses, etc. Alec se garda bien de signaler qu'il devait regagner Aqueduct le lendemain. D'ici là, il espérait trouver une occasion d'apprendre à Pam cette désagréable nouvelle.

« Il reste cinq poulains à entraîner, dit-elle. Vous venez avec moi ?

— Pourquoi pas ? répondit-il en riant. Je suis comme vous : j'aime l'entraînement. »

Comme elle le regardait avec une expression bizarre, il demanda :

« Vous ne me croyez pas ? Pourtant, je parle très sérieusement.

— Si, je vous crois. Mais n'aimez-vous que l'entraînement ? Les chevaux, qu'en faites-vous ? Il ne vous est jamais arrivé de les considérer comme des amis ? »

Il fronça les sourcils. De quoi se mêlait-elle ? On voyait bien qu'elle n'avait pas de ranch à diriger, pas d'impôts à payer ni de salaires à verser chaque semaine ! Elle était libre de ses mouvements, sans soucis, sans responsabilités !

Il la dévisageait, les mâchoires serrées. N'était-ce pas le moment de lui dire : « Nous ne pouvons pas vous garder. Henry ne veut rien entendre. Pas de fille dans notre personnel. »

Mais, après tout, il n'était peut-être pas loyal de tout mettre sur le dos du vieil entraîneur. Quant aux chevaux... Bien sûr, Alec les aimait. Toutefois, ne les avait-il pas considérés trop souvent (sauf Black pourtant !) comme des objets, comme de simples moyens de gagner de l'argent, d'acquérir, à titre de jockey, une notoriété de plus en plus grande ? Et maintenant, il s'interrogeait : « Contre qui suis-je fâché ? Contre moi-même ? Contre Pam qui semble voir si clair en moi ? »

Elle se dirigea vers le box de Sable Noir. Il la suivit, encore indécis sur ce qu'il lui dirait et furieux de son indécision. Que se passait-il donc en lui ? Il hésitait rarement et détestait les indécis. Pour lui, les problèmes étaient toujours simples, la vérité sans nuances. D'ailleurs, dans sa vie active, mouvementée, où aurait-il pris le temps de réfléchir, de douter, d'avoir des scrupules ?

Pam était entrée dans le box. Elle s'amusait à piquer une fleur dans la crinière de Sable Noir. Alec la regardait en silence. Elle pouvait bien fleurir tous les chevaux du ranch. Cela lui était indifférent. Mais comment Henry prendrait-il la chose ? Sans doute moins bien que lui !

Elle se tourna vers Alec, tandis qu'une de ses mains, la droite, se dégageait de la crinière. Alec crut apercevoir un éclair bizarre dans les prunelles du poulain :

« Attention, Pam ! »

Trop tard ! Le poulain, avec une promptitude étonnante, avait attrapé la main de Pam et la gardait entre ses dents, cachée presque entièrement dans la gaine de ses grandes lèvres souples. Sans doute voulait-il jouer. Mais l'affaire pouvait se terminer de façon dramatique.

Alec et Pam, comme d'un commun accord, ne bougèrent pas. Ils savaient que Pam ne pourrait retirer sa main que lorsque Sable Noir aurait décidé de rouvrir la bouche. Elle n'osait faire le moindre mouvement. Tout geste inconsidéré ou précipité pouvait inciter le poulain à lui trancher tous les doigts d'un seul coup de dents !

Alec fit un pas en avant. S'il parvenait à glisser ses propres doigts dans les barres, ces espaces entre les incisives et les molaires où l'on place le mors, il réussirait peut-être à contraindre le poulain à ouvrir la bouche. Il regarda Pam. Complètement immobile, elle semblait à la merci de cet animal que, sur la piste, elle dominait avec tant d'aisance.

« Allons, lâche-moi, dit-elle enfin sur un ton de réprimande. Ce n'est pas le moment de jouer. »

Le poulain renifla, puis souffla à travers ses naseaux dilatés.

Alec fit encore un pas. Dans les yeux du poulain, qui semblaient surveiller ses moindres mouvements. il surprit une expression ambiguë : cruauté ou simple désir de s'amuser ? Il préféra choisir la deuxième solution. Après tout, Sable Noir n'avait peut-être pas la moindre envie de mutiler Pam. Elle se mit à lui parler :

« Je t'aime bien, pourtant. Nous sommes de bons amis et tu voudrais me faire du mal ? Ça, je ne peux pas le croire... »

Il l'avait écoutée... sans pour autant desserrer ses mâchoires.

Lentement Alec leva la main droite. Par mouvements insensibles, il l'approcha de la bouche du poulain. Mais celui-ci continuait à le surveiller, et avec une attention accrue. Vivement, Alec retira sa main. Inutile d'insister. Il fallait laisser Pam agir à sa guise, se tirer d'affaire par ses propres moyens.

« Si tu me blesses, dit-elle, je ne pourrai plus m'occuper de toi. Tu seras bien avancé ! »

Et elle continua de parler au poulain, simplement, familièrement, sans la moindre solennité, comme elle aurait parlé à un ami de longue date, un ami auquel elle ne cessait de répéter qu'elle l'aimait bien, qu'elle avait pleine confiance en lui.

Alec l'écoutait, fasciné lui aussi par cette voix qui le berçait... si fasciné même qu'il lui fallut un moment pour se rendre compte que Sable Noir l'avait lâchée, puisque, de sa main droite, elle lui caressait le front. Elle le caressa encore et lui parla pendant presque une minute. Puis elle laissa retomber sa main, pivota sur ses talons, s'éloigna du poulain et dit à Alec :

« Alors, on se remet au travail ? Vous êtes toujours d'accord pour vous entraîner avec moi ?

— Plus que jamais », répondit-il.

# Chapitre 6

# Par une nuit calme

Ce soir-là, quand il regagna le ranch, après plusieurs heures d'entraînement en compagnie de Pam, Alec se sentait plus détendu et plus heureux qu'il ne l'avait été depuis longtemps. Puis il eut un entretien avec son père, dans le bureau personnel de celui-ci. Il le mit au courant de l'attitude d'Henry Dailey en ce qui concernait l'engagement de Pam. Il lui demanda son avis.

Cet avis fut le contraire de ce qu'il espérait. M. Ramsay, avec cependant moins d'aigreur et d'hostilité que le vieil entraîneur, partageait son opinion : Pam devait quitter le ranch au plus vite.

« Depuis une semaine qu'elle est ici, expliqua le père d'Alec, j'ai eu le temps de l'observer. Elle travaille à la perfection. Mais elle n'a pas sa place dans une entreprise comme la nôtre, où il n'y a que des hommes. Et puis... comment dirais-je ? elle n'est pas assez rustique. Elle est trop élégante. Avec cela, quand elle est dans sa chambre, elle écoute une musique affreuse, à nous rendre tous fous !

Enfin, si j'en crois les lads, il paraît que, dans les écuries, elle parle sans cesse, elle rit, elle chante !

— Quel mal y a-t-il à cela ? demanda Alec.

— En principe, il n'y en a aucun. Toutefois nous sommes une entreprise sérieuse. Comme je te l'ai dit, cette fille travaille bien. Mais ce n'est pas encore suffisant. Il faut... »

La conversation se poursuivit pendant le dîner. Dès qu'on parla de Pam, Alec constata que les réactions de sa mère étaient, comme celles de son père, bien plus affaire de sentiments que de logique. Selon Mme Ramsay, les filles devaient laisser aux hommes le monde des courses, un monde impitoyable et bien trop dur pour elles. En revanche, le concours hippique leur convenait. On les y traitait avec respect, et elles n'étaient pas contraintes de se conduire en garçons manqués. Les filles, insistait Mme Ramsay, devaient avant toutes choses se préparer à diriger une maison et à élever des enfants.

Pendant tout le repas, Pam resta le sujet d'une conversation à laquelle Alec cessa bientôt de prendre part. Mais il gardait une oreille attentive. Il aimait ses parents. Il les considérait comme justes et tolérants. Cependant, lorsqu'ils parlaient de la jeunesse, il avait l'impression de ne plus les comprendre. Son père et sa mère ne paraissaient pas se rendre compte que les jeunes du temps présent ne ressemblaient plus à ceux de jadis, qu'ils avaient rompu avec nombre de conventions et étaient tout à la fois plus passionnés et plus désintéressés que ceux des générations anciennes. « En réalité, songeait Alec, mes parents sont comme Henry. La jeunesse leur inspire du mécontentement et une sorte de crainte. Pourquoi ? »

Une demi-heure plus tard, après le dîner, Alec se rendit aux écuries. Il grimpa l'escalier, frappa à la porte de Pam. Pas de lumière. Le logement était désert. Alec redescendit, sortit du bâtiment. Pam devait être dans les parages. En tout cas, elle n'était pas allée passer la soirée en ville, car sa voiture se trouvait à l'endroit où elle la rangeait habituellement, à une cinquantaine de mètres de la cour.

Alec attendit que ses yeux fussent accoutumés à l'obscurité. Puis il escalada une clôture et s'éloigna à travers champs. La nuit, sans lune, aurait été profonde, si les étoiles ne l'avaient vaguement éclairée.

Il allait atteindre la lisière du bois lorsqu'il entendit les notes allègres et les trilles d'une flûte. Il s'arrêta. Pam ne pouvait plus être bien loin.

Il avait décidé de déblayer le terrain une fois pour toutes, de lui dire franchement ce qu'on pensait d'elle. Ensuite elle choisirait de partir ou de rester. Quant à lui, si elle choisissait de partir, aurait-il le courage de ne pas essayer de la retenir ? Leur amitié s'était singulièrement affermie durant cette journée qu'ils venaient de passer ensemble !

Il fit encore une cinquantaine de pas, puis s'arrêta de nouveau. Pam était assise au pied d'un arbre. Quand elle vit dans la pénombre la silhouette d'Alec, elle retira la flûte de sa bouche et dit :

« Bonsoir. Je ne savais pas que j'avais un auditeur.

— Vous jouez très bien. Mais je suis étonné de vous trouver ici. N'êtes-vous donc pas fatiguée après cette journée de travail acharné ? »

Alec s'assit dans l'herbe, près d'elle.

« Au contraire ! répondit-elle. Quand je suis satisfaite, je ne sens jamais la fatigue. »

Un oiseau nocturne décrivit au-dessus d'eux une courbe silencieuse et s'éloigna.

« Moi aussi, je voudrais avoir des ailes ! soupira Pam.

— Pourquoi ?

— Il y a tant de choses que j'aimerais voir !

— D'où vous vient, Pam, cette insatisfaction constante, cette instabilité ?

— Est-ce que je sais ! J'aime voyager, aller çà et là. Voilà tout. À quoi bon s'arrêter longtemps, quand on sent qu'il y a tant à faire et à découvrir ?

— N'y a-t-il pas dans cette façon d'agir un peu trop de précipitation ?

— Oui, sans doute. Mais, voyez-vous, Alec, si je reste quelque part, j'ai bientôt l'impression de prendre racine. Ça me donne une sorte de malaise. Le seul moyen de retrouver mon équilibre est de repartir, d'aller plus loin.

— Peut-être fuyez-vous quelque chose ?

— Fuir ? Qu'est-ce que je fuirais ? »

Il fut sur le point de répondre : « La vie. » Mais il se retint. Il savait bien qu'une telle réponse aurait été des plus fausses. Pam ne fuyait pas. Elle allait vers autre chose, vers de nouveaux rêves, vers des découvertes nouvelles.

Il haussa les épaules.

« Peut-être vous fatiguez-vous vite de vos responsabilités. »

Elle répliqua avec une pointe d'irritation :

« Vous êtes satisfait des vôtres ?

— Dans l'ensemble, oui. »

Elle se tourna vers lui :

« Vous répondez à côté. Plutôt, vous passez sous silence l'essentiel.

— L'essentiel ! s'exclama-t-il narquois. Vous me méprisez parce que j'ai réussi dans ma profession.

— Jamais de la vie ! protesta-t-elle. C'est vous qui vous méprisez vous-même.

— Pam, je vous somme de vous expliquer !

— Ne vous mettez pas en colère, Alec. Vous savez bien ce que je veux dire.

— Non.

— Eh bien, vous vous rendez compte, sans doute depuis longtemps, que vous êtes plus intéressé par l'industrie des courses que par les chevaux en tant qu'êtres vivants.

— C'est faux ! gronda-t-il en se dressant d'un bond. L'industrie des courses et les chevaux sont inséparables. Et puis, quel mal y aurait-il si je ne portais aucun intérêt aux chevaux en tant qu'êtres vivants, selon votre expression ?

— Aucun, bien sûr.

— Alors, pourquoi êtes-vous agressive ?

— Agressive ? C'est vous qui avez déclenché cette discussion en suggérant que je fuyais, alors que je ne fuis pas, que je n'ai même jamais fui. La vérité est que je me sens tenue de vivre ma vie, sans jamais imiter celle des autres. »

Alec resta un moment songeur, puis il répondit :

« C'est justement ce qui peut inquiéter certaines personnes : ces principes étranges, votre instabilité... »

Et, saisissant l'occasion :

« À ce propos, Pam, il faut que je vous parle de

ce que pensent Henry Dailey et mes parents de votre présence ici, de votre travail au ranch. »

Lorsqu'il eut terminé, il conclut par ces mots :

« À vous de choisir. Voulez-vous rester ? »

Elle hésita avant de demander d'une voix émue :

« Et vous, Alec, que souhaitez-vous ?

— Que vous restiez, vous le savez bien. Je vous l'ai déjà dit.

— Comme c'est étrange ! Je connais peu vos parents. Mais je croyais qu'ils avaient de la sympathie pour moi. Ils semblent si chic.

— Ils le sont. Seulement, voyez-vous, ils ne comprennent pas les filles comme vous. Ils finiront par comprendre. Il faudra du temps...

— Et Henry Dailey ?

— Avec lui, c'est autre chose. Mais il n'est pas tellement gênant. Il est moins souvent ici que sur les hippodromes.

— Je l'ai vu à la télé. Un homme grisonnant, solide, souriant, l'air en somme aimable. On dit qu'il n'a pas son pareil pour comprendre les poulains et les pouliches. Comment se fait-il qu'il ne comprenne pas la jeunesse d'aujourd'hui ?

— Je l'ignore, répondit Alec. Mais c'est comme ça. On dirait qu'il se méfie, qu'il craint quelque chose. Peut-être la franchise des jeunes. Tenez, Pam, moi-même qui ne suis guère plus âgé que vous, je me suis mis en colère tout à l'heure... quand vous m'avez dit quelque chose de vrai à mon sujet.

— Vous m'en voulez toujours ?

— Non. Dorénavant, vous pourrez exercer sur moi votre terrible franchise. Je ne me mettrai plus jamais en colère. C'est promis. »

Ils rirent ensemble de bon cœur. Puis Alec déclara :

« Je pars demain. En fin de compte, qu'avez-vous décidé ? Restez-vous ? Partez-vous ?

— Je reste.

— Le problème étant résolu, nous allons pouvoir parler d'autre chose. »

# Chapitre 7

# Les foules
# sont curieuses !

Le lendemain, quand Alec arriva à Aqueduct, tout était calme dans les parages des écuries. Il était un peu plus de midi. À cette heure-là, les gardiens n'avaient pas grand-chose à faire. On promenait quelques chevaux qui avaient travaillé plus tard que les autres.

Soudain, un haut-parleur crépita, puis débita un message à l'intention d'un entraîneur. Alec ne put s'empêcher de sursauter. S'était-il trompé en se croyant prêt à affronter Henry avec tout le sang-froid nécessaire ?

Il jeta un regard dans la sellerie. Justement, il espérait y trouver le vieil entraîneur. Il n'y trouva que Deb, leur gardien de nuit. Celui-ci, allongé sur la couchette, lisait le *Morning Telegraph*.

« Bonjour, dit Alec. Où est Henry ? »

L'homme abaissa son journal.

« Henry ? Il est déjà sorti. Il a dit qu'il voulait assister aux courses aujourd'hui.

— Tout va bien ici ?

— Tout va bien. »

Deb, aussi âgé qu'Henry Dailey, savait peut-être encore mieux que lui soigner les chevaux. Il avait passé toute sa vie dans les coulisses des hippodromes. Il aimait l'argent vite dépensé et les animaux confiés à ses soins. Mais surtout, pour Alec, Deb s'entendait à la perfection avec Black. Il y fallait du mérite, car l'étalon noir ne se laissait pas approcher par n'importe qui. Un bon gardien avait autant de valeur qu'un bon cheval. Il était impossible de posséder l'un sans l'autre, comme il était impossible à Henry et Alec de passer chaque moment de leur existence avec Black.

Alec pénétra dans le box de l'étalon noir. Celui-ci se reposait tout au fond, dans un coin. Il aurait sûrement préféré être au ranch, ne fût-ce que pour quelques heures. Il adorait la liberté, les coups de vent, l'herbe verte. Chaque jour, à Aqueduct, Alec lui faisait faire une promenade et le laissait brouter çà et là. Mais, pour l'étalon noir, ce n'était pas suffisant.

Alec resta longtemps avec lui. « Nous sommes tous les mêmes, songeait-il. Chaque jockey a la certitude que "son" cheval est le plus rapide, le plus fort, le plus brave, le plus intelligent. »

Il était midi et demi quand il se retrouva dans une partie vitrée des tribunes. Là, il se joignit à un flot de badauds. Seul et anonyme dans la foule, il n'en était pas moins sensible à cette électricité assez spéciale qui surchargeait l'atmosphère chaque fois qu'une épreuve importante allait commencer. Des marchands de journaux et de programmes criaient :

« Demandez le *Morning Telegraph* ! Demandez le *Morning Telegraph* ! Vous connaîtrez tout sur la femme jockey qui court aujourd'hui. Vous connaîtrez aussi les gagnants. Demandez... demandez le *Morning Telegraph* ! »

Alec acheta un journal. Il était curieux d'avoir quelques détails sur la femme jockey qui courait ce jour-là. Plusieurs femmes avaient participé à des épreuves le mois précédent. Elles n'avaient pas fait d'étincelles, mais s'étaient assuré une large publicité.

Un coup d'œil au journal suffit à Alec pour découvrir que la femme jockey n'était autre que Becky Moore. Elle était annoncée dans la première course. Il pressa le pas. Le temps se maintenait clair, la piste sèche, et une femme affrontait des hommes ! Ainsi, tout s'expliquait : la densité de la foule, la hâte des spectateurs à gagner leurs places.

Tout en marchant, Alec comparait Becky Moore et Pam. Toutes deux aimaient les chevaux. Pour le reste, elles ne se ressemblaient en aucune façon. Il connaissait Becky depuis deux ans. Elle était timide, d'une modestie extrême. Longtemps, elle était passée inaperçue. Puis, un jour, la nouvelle avait éclaté : Becky Moore venait de demander sa licence de jockey ! Et, une semaine plus tard, elle montait en course. Avec quel art elle s'était faufilée jusqu'aux premiers rangs ! Elle avait fait discrètement son petit bonhomme de chemin, toujours aimable, apparemment inoffensive, mais dévorée d'ambition.

Pam et Becky : deux tempéraments bien différents. Pam, directe, franche, ne cachait rien d'elle-même, de sa vie privée, de ses pensées les plus intimes. Becky dissimulait, derrière un écran de timidité et de gentillesse, une dureté qui pouvait devenir férocité dans une compétition contre des garçons mal préparés à affronter cette rivale apparemment insignifiante.

Alec prit un long couloir qui conduisait à la salle des jockeys. Comme il ne courait pas ce jour-là, il lui était interdit d'entrer. Il resta donc sur le seuil. L'un des jockeys l'interpella :

« Salut, Alec. Tu sais qu'il y a une fille parmi les partants aujourd'hui ?

— Je le sais.

— Becky n'est pas une fille, objecta un autre jockey. C'est un garçon manqué. Il suffit de la voir quand elle est habillée en femme. Elle a l'air d'un homme.

— C'est possible, reprit le premier jockey. Mais n'empêche qu'elle monte comme une fille. Elle a de bonnes mains, mais pas de biceps. Elle ne peut rien faire d'autre que de diriger son cheval.

— Bien diriger son cheval est très important, dit Alec.

— Sûrement. Mais, dans les passages difficiles, il faut une drôle de force dans les bras.

— Quand je me rendrai compte que je ne monte pas mieux qu'une fille, je prendrai ma retraite, déclara le premier jockey.

— Moi aussi, dit un vétéran. Voilà quinze ans que je cours. J'en ai vu de toutes les couleurs. Et vous croyez que j'aurais peur de cette fille ? Notez bien, je trouve Becky très sympathique. Tout le monde aime Becky, n'est-ce pas ?

— Oui, tout le monde, ricana un nouveau venu. Dans ces conditions, pourquoi a-t-elle la frousse ? Pourquoi se balade-t-elle avec un énorme chien dans sa voiture ? On a l'impression que, sur un signe d'elle, il vous mangerait tout cru !

— Becky est peut-être un garçon manqué, intervint un autre nouveau venu, mais, tout de même, c'est une fille. Avec ce chien, il est possible qu'elle se sente plus en sécurité. »

Le premier jockey fit deux ou trois pas vers Alec.

« De toute façon, ces filles ne sont qu'une sorte d'attraction. Ça ne durera pas. Un jour, elles disparaîtront de l'affiche et personne ne s'en apercevra. Qu'en penses-tu, Alec ?

— La même chose que toi ou à peu près », répondit Alec.

Un jockey, qui se trouvait à l'arrière-plan, eut le mot de la fin :

« Moi, je ne leur veux pas de mal, mais je les redoute. Dans toutes les courses auxquelles elles participent, il y a des bousculades et de nombreuses chutes. »

Alec continua de longer le couloir jusqu'à l'ascenseur qui le conduirait dans la partie de la tribune d'honneur que certains appelaient le « quartier de la presse ». Il savait qu'Henry Dailey ne manquait jamais, pour assister aux épreuves, de grimper jusqu'à cet excellent observatoire.

Tout en marchant, il pensait à ce que disaient les jockeys. Sans le moindre doute, les femmes rendaient les courses plus dangereuses. Certes, elles étaient aussi capables que les hommes de maîtriser leurs chevaux, mais il leur arrivait de jeter la confusion dans une stratégie décidée par leurs partenaires masculins et même de contraindre ceux-ci à modifier leur style. La plupart des hommes réfléchissent avant de mettre en danger la vie d'une fille. Cependant, durant une course, personne n'a le temps de réfléchir. Celui qui se permet cette fantaisie risque la mort. Les sabots ferrés des chevaux produisent, contre le crâne d'un homme, un son moins agréable que sur le sol des pistes.

Dans leur conversation, les jockeys n'avaient pas fait la moindre allusion à certain détail important, qui devait pourtant les obséder. En effet, si les femmes apparaissaient de plus en plus nombreuses sur les hippodromes, les hommes ne risqueraient-ils pas de voir leurs revenus diminuer ? Or, la plupart de ces derniers étaient mariés, avaient des enfants...

Alec échangea des poignées de main avec les journalistes qui attendaient au pied de l'ascenseur. Puis il entra dans la cabine et se plaça tout au fond. Là, il se plut à écouter bavarder les journalistes, comme, un moment auparavant, il écoutait les jockeys. Ainsi, il pouvait presque oublier l'entretien qu'il allait avoir avec Henry Dailey. Il ne savait qu'une chose : sa décision était prise une fois pour toutes de garder Pam au ranch de l'Espoir — quelle que fût la colère du vieil entraîneur.

L'ascenseur monta presque au sommet de la tribune d'honneur, soit la hauteur d'un immeuble de dix étages. Alec sortit de la cabine, suivit ses compagnons jusqu'à l'extrémité d'un couloir et pénétra avec eux dans le « quartier de la presse ».

Une vaste pièce d'où l'on pouvait observer sans la moindre gêne l'ensemble de l'hippodrome. Mais ce n'était pas cet immense espace vide qui intéressait Alec. Il lui tourna même le dos et, dans la foule des hommes qui allaient et venaient en attendant que fût annoncée la première course, il chercha du regard Henry Dailey. Il l'aperçut dans un coin, adossé au mur, tout seul.

Il s'approcha, un peu inquiet et assez ému.

Qu'allait-il sortir de cette conversation ? « Vais-je être obligé de choisir entre Pam et lui ? songeait Alec. Ce n'est tout de même pas possible ! »

Dès qu'il vit Alec, Henry Dailey se tourna vers l'extérieur et affecta de contempler l'hippodrome.

« Bonjour », dit Alec.

Henry Dailey pivota sur ses talons, examina avec froideur le nouveau venu et demanda :

« Comment ça va au ranch ?

— Très bien. Les deux ans font des progrès, surtout Sable Noir. »

Henry Dailey attendit qu'Alec lui parlât de « la fille ». Puis, comme rien ne venait, il interrogea :

« Tu l'as fait partir ?

— Non. Je la garde. »

Le vieil entraîneur sursauta et ses yeux lancèrent un éclair :

« Tu la gardes ? Pourquoi ? Je t'ai pourtant dit que je ne voulais pas d'elle au ranch !

— Elle connaît les chevaux mieux que je ne pensais. Je ne pouvais pas la chasser purement et simplement. »

Henry Dailey regarda un instant les concurrents qui se dirigeaient vers les stalles de départ. Puis il refit face à Alec :

« Je n'aime pas avoir avec toi des discussions de ce genre. Nous sommes ensemble depuis longtemps. Nous avons des intérêts communs. Nous n'allons tout de même pas nous séparer pour cette histoire de fille ! Je sais que tu n'aimes pas certaines choses que j'ai dites. Mais il faut que tu le comprennes : les filles n'ont pas leur place dans notre profession. Laisse-les s'y glisser, et elles nous poseront un tas de problèmes. J'ai l'expérience de ces choses-là. Je sais de quoi je parle.

— Elle travaille au ranch, pas ici », remarqua Alec.

Il sentait qu'Henry l'observait avec une attention soutenue, comme pour chercher le défaut de la cuirasse. Son visage exprimait la résolution inébranlable de ne pas changer d'avis. Il n'allait tout de même pas se laisser intimider par la menace de rupture que le vieil entraîneur venait de formuler ! En mettant fin à leur association, Henry perdrait autant que lui-même.

« Il faut, Alec, que tu aies une bonne raison pour désirer la garder.

— Je vous l'ai dit : elle est très capable. Venez la voir. Vous jugerez par vous-même. Vous ne pouvez pas juger quelqu'un que vous ne connaissez pas !

— Pas question d'aller au ranch. Je reste ici. Mais dis-moi : tu m'assures qu'elle est capable. À cette qualité joint-elle la beauté ?

— Je vous l'ai déjà dit : elle est plutôt jolie.

— Maintenant, je me souviens, admit Henry Dailey. Si elle avait été laide, aurais-tu tant tenu à la garder, malgré ses qualités ?

— Mais, bredouilla Alec le visage soudain empourpré de colère, il ne s'agit pas de ça ! Il s'agit de...

— Calme-toi, calme-toi ! dit Henry en posant la main sur le bras de son jeune compagnon. Je te donne mon accord. Qu'elle reste, puisque tu sembles y tenir. Mais ne t'avise pas de l'amener ici ! »

Cette fois. Alec parvint à se maîtriser. Après tout,

la bataille était gagnée, puisque Pam restait au ranch. C'était l'essentiel. Il se tourna vers l'extérieur et regarda les chevaux qui continuaient à se diriger vers les stalles automatiques.

La course allait se disputer sur mille six cents mètres. Elle était réservée à des chevaux des deux sexes qui n'avaient encore jamais remporté de victoire. Le premier prix s'élevait à cinq mille dollars.

À droite et à gauche d'Alec et d'Henry, les journalistes se pressaient. L'un d'eux raconta :

« Quand Becky Moore est sortie des vestiaires pour se rendre au paddock, elle a failli être étouffée par les badauds. Heureusement, Mike Costello veillait sur elle. Il agit comme un garde du corps. Après tout, il est peut-être son fiancé.

— Sûrement pas ! protesta un autre journaliste. Becky, je le sais de source sûre, n'a pas envie de se marier. Et puis, Mike est bien trop vieux pour elle. Il pourrait être son père. »

Mike Costello était un jockey rompu à toutes les ruses du métier. Alec l'aperçut qui s'approchait des boîtes de départ, botte à botte avec Becky Moore. Debout sur ses étriers, il se penchait vers elle, lui soufflait à l'oreille des conseils, évidemment. Becky Moore demeurait impassible, comme à l'accoutumée. On sentait qu'elle n'avait besoin des conseils de personne, même d'un Mike Costello.

Elle montait une jument qui entra avec docilité dans la stalle n° 5. Une semaine auparavant, cette jument n'avait décroché dans une épreuve à peu près semblable, que la quatrième place. Aujourd'hui, elle serait donc difficile à battre. D'ailleurs, elle était l'un des deux favoris. Becky

Moore abaissa ses grosses lunettes, prête à démarrer.

« Cette fois, elle va gagner », déclara l'un des journalistes.

Henry répondit :

« J'ai eu le temps d'observer Becky Moore. Les garçons n'ont rien à redouter. Cette fille ne vaut pas un clou. Elle sert à la publicité de quelques individus sans scrupules, parmi lesquels il y a des entraîneurs que je connais bien.

— Je crois que vous avez raison, Henry, dit le journaliste. Becky n'a jamais couru plus de mille deux cents mètres. Aujourd'hui, il y en a mille six cents. Ça va lui paraître long ! »

Alec détourna son regard de Becky Moore et s'attarda à examiner les autres jockeys. Cela faisait un peloton de dix cavaliers, des apprentis pour la plupart, comme Becky elle-même. « Il va y avoir de la bousculade ! » songea-t-il. Et il se demanda si l'un des garçons serait assez généreux pour s'effacer, une fois au moins, devant Becky.

Dans la stalle n° 10, il y avait un cheval qui ruait, se cabrait et donnait bien du mal à l'employé de l'hippodrome qui essayait de le maîtriser. Le jockey qui montait ce cheval était Mario Santos, un apprenti, mais plein d'avenir, car il totalisait déjà vingt-six victoires. Dix-neuf ans, cinquante kilos, un mètre cinquante : ce petit Portoricain avait dit à Alec qu'il avait cessé de grandir à quinze ans. En outre, il n'avait pas de problème de poids. À la cantine de l'hippodrome, Alec le voyait souvent engouffrer des quantités invraisemblables de pâtisseries et de sucreries ! Était-il de ceux qui, comme Mike Costello, ont des égards pour une fille ? Pas le moins du monde. D'ailleurs, tous les jockeys ne pensaient en général qu'à l'argent et à la victoire. Cela les rendait très agressifs.

Soudain, les portes des boîtes s'ouvrirent et, dans les haut-parleurs, une voix annonça :

« Ils sont partis ! »

*
* *

Alec ne vit d'abord qu'une seule tache floue, formée par les casaques multicolores. Puis, de cette tache, surgit un cheval qui fonça vers la corde. C'était le cheval de Mario Santos. Indiscipliné avant le départ, il obéissait maintenant aux moindres injonctions de son cavalier. Becky Moore était au milieu du peloton. Alec la découvrit grâce à sa casaque rouge et garda ses jumelles braquées sur elle.

Becky ne bougeait presque pas sur sa selle. Sans brusquer sa jument, elle la laissait prendre petit à petit un bon galop de course. Le peloton allait de plus en plus vite. Les têtes des chevaux se balançaient en cadence. Pressés épaule contre épaule, ils avaient tous adopté la même allure.

Alec connaissait bien la crainte qui, dans ce moment, s'emparait de chaque concurrent. Il savait combien il est difficile de garder son équilibre, de résister à la bousculade, aux coups de coude sournois des autres jockeys, lesquels mettent tout en œuvre pour vous coincer entre les chevaux et la corde.

De nouveau, Alec braqua ses jumelles sur Becky. Maintenant, elle s'animait, pressait sa jument des mains et des jambes. Mike Costello galopait côte à

75

côte avec elle, sans rien tenter, semblait-il, pour la laisser en plan. Sans doute voulait-il veiller sur elle, comme il s'y employait depuis le début de la course. Ensemble, presque d'un même mouvement, ils s'enfoncèrent dans le peloton, se rapprochèrent des leaders.

Le peloton prit le virage avec une rapidité à couper le souffle. Becky utilisa sa cravache pour s'éloigner de Mike Costello et obliquer vers la corde.

Mike essaya de ne pas la lâcher, mais il dut y renoncer, car son cheval se déporta du côté opposé. Pendant un instant, ce jockey, pourtant chevronné, faillit perdre l'équilibre. Lorsqu'il fut parvenu à maîtriser son cheval, Becky avait disparu, comme engloutie par le peloton.

Alec n'eut aucune peine à imaginer les questions qui se pressaient dans l'esprit de Mike : « Où est-elle ? Ne va-t-elle pas faire une de ces bêtises qui se transforment en catastrophe générale ? »

Grâce à ses jumelles, Alec retrouva encore Becky Moore. Elle longeait la corde parmi quatre jockeys.

« Elle veut se débrouiller toute seule, dit Henry Dailey. Et elle fonce, la diablesse ! On va voir si elle est capable de se passer de Mike ! »

Et de ricaner, comme s'il escomptait le pire.

Alec gardait les jumelles braquées sur Becky.

« Elle est tenace. Aujourd'hui, elle joue le grand jeu ! »

Henry Dailey répliqua :

« Comme toutes les filles, elle flanchera dans les derniers mètres. »

Le peloton filait sur la dernière ligne droite. Il ne lui restait que deux cents mètres à parcourir. Becky se maintenait à la corde. Mario Santos galopait à son côté. Deux concurrents les précédaient. Pour essayer de se dégager, Becky faisait usage de sa cravache. Mais, jusque-là, ses efforts demeuraient vains.

« Mario ne la laissera jamais s'échapper, annonça Henry Dailey. Ce n'est pas un gentleman. »

Alec observa Mario. Il pensait que le populaire apprenti guettait le moment propice pour semer les deux leaders. Mario avait un cheval excellent. Fort, patient, tranquille, il se contentait d'attendre.

Les spectateurs saluèrent les concurrents par une tempête d'acclamations. Alec savait que, même dans des circonstances aussi favorables, il risquait de laisser échapper un détail important. Or, il voulait tout voir de cette course. Il redoubla donc d'attention.

Il vit que Mario gênait toujours Becky. Alors, celle-ci fit passer sa cravache de la main gauche dans la droite, comme si elle s'apprêtait à en menacer le Portoricain. Celui-ci affecta de ne s'apercevoir de rien. En tout cas, il continua de la coincer contre la corde.

Le cheval qui précédait la jument donna des signes de fatigue. Becky essaya de le contourner. Il se rabattit sur elle, la précipita contre la corde ! Si elle n'eut pas une jambe cassée, ce fut miracle. Alec constata que, comme si de rien n'était, elle continuait de cravacher sa jument avec une énergie qui semblait inépuisable.

« Elle finira bien par se faufiler », dit-il.

Mais Henry Dailey était têtu :

« Non, jamais. Elle flanchera. »

Elle ne flancha pas, au contraire. D'abord, elle doubla le cheval qui donnait des signes de fatigue.

Mario Santos la rattrapa. De nouveau, elle lui prit quelques centimètres. D'un effort puissant, il la rejoignit. À ce moment, elle parut lâcher pied.

« Elle n'en peut plus, dit Henry Dailey. Elle est fichue ! »

Une fois encore, il se trompait. Le petit jeu reprit de plus belle. Mario et Becky avaient laissé en plan tous les autres concurrents et ils se succédaient, tantôt l'un, tantôt l'autre, à la première place. Et qui flancha ? Ce fut Mario. Tandis que les spectateurs hurlaient leur enthousiasme dans les tribunes, Becky arracha littéralement sa jument à la piste et passa la première la ligne d'arrivée. Elle gagnait par une tête.

Henry Dailey se détourna de la baie et dit à un journaliste :

« Pas mal. Elle a une bonne jument. C'est ce qui l'a sauvée. »

Quelques journalistes l'approuvèrent, mais du bout des lèvres. Les autres étaient d'avis que Becky avait fait une course remarquable, dont bien des hommes auraient pu s'enorgueillir. Elle avait battu Mario Santos, le meilleur apprenti jockey de New York et, par son intelligence, elle l'avait battu à son propre jeu. Ainsi, du jour au lendemain, elle devenait à son tour une vedette !

« Nous la verrons de plus en plus souvent sur les hippodromes, dit un reporter. Elle a de la classe.

— D'accord, répondit Henry Dailey. Cette chère petite Becky a surpris tout le monde. Mais ce qui vient d'arriver ne se reproduira pas, vous pouvez me croire. Aujourd'hui, les garçons l'ont aidée, soutenue. Mike Costello, par exemple... Dorénavant, ils se méfieront. »

Quand Henry se dirigea vers l'une des portes, Alec lui emboîta le pas. Il avait hâte d'appeler Pam au téléphone et de lui annoncer qu'elle pouvait rester au ranch.

Comme il s'avançait déjà vers une cabine, Henry Dailey l'arrêta :

« Je sais à qui tu veux téléphoner. Dis-lui que tu seras absent quelque temps. J'ai préparé un programme pour nous. Nous partons pour l'Ouest demain et, dimanche, tu cours à Hollywood Park. Nous ne serons pas de retour avant un mois. »

Alec ne répondit pas. Le moment eût été mal choisi de révéler sa déception, car, jusque-là, il était persuadé de revoir Pam la semaine suivante. Mais, au fond de lui-même, il savait qu'elle serait toujours là-bas quand il reviendrait. « Un mois, c'est long, pensait-il. Et elle aime tant sa liberté ! Cependant, je crois qu'elle m'attendra... qu'elle ne disparaîtrait pas sans me faire ses adieux. »

# Chapitre 8

# À la façon
# d'un champion

Le lendemain, Black s'envola pour la Californie, dans le même avion qu'Alec, Henry Dailey et Deb, son gardien. À l'aéroport de Los Angeles, lors de l'atterrissage, une foule considérable attendait pour voir le fameux cheval que beaucoup ne connaissaient que par les journaux, les magazines et la télévision. Les badauds regardèrent en silence l'étalon noir descendre de l'avion, puis monter dans le van qui devait l'emmener à Hollywood Park, à six kilomètres de là.

Pendant la semaine suivante, Alec alla de surprise en surprise. Il découvrit que les Californiens étaient très différents des Américains de l'Est des États-Unis. Ces derniers — jockeys et fanatiques des hippodromes — acceptaient sans discussion l'immense valeur de Black. Tandis que les Californiens exigeaient une preuve et n'auraient pas été mécontents de renverser l'étalon noir de son piédestal et de démontrer la supériorité de leurs chevaux.

Mais Black était prêt à s'affirmer une fois de plus, à écraser les incrédules. Il était en pleine forme, sans un gramme de graisse sur toute la surface de son corps magnifiquement musclé. Quelques jours après son arrivée, il couvrit mille deux cents mètres à la vitesse stupéfiante d'une minute huit secondes. La veille de sa première course, il fit mieux encore : trente-deux secondes pour six cents mètres — et Alec avait pourtant multiplié les efforts pour le retenir !

Lorsqu'il revint à l'écurie, Henry Dailey lui dit :

« Pourvu que les autres concurrents ne prennent pas peur ! Tu ne vois pas que, demain, Black soit seul à se présenter sur la piste ! »

Mais, le lendemain, il y avait douze chevaux pour affronter l'étalon noir dans le Sunset Handicap. Cette épreuve de deux mille quatre cents mètres se disputait sur gazon.

Henry Dailey ne s'était pas trompé. On aurait juré que Black était seul. Lorsqu'il apparut dans la dernière ligne droite, Black ne luttait plus, semblait-il, que contre son ombre. Ses concurrents le suivaient, péniblement, à une cinquantaine de longueurs. Il dépassa comme une flèche le poteau d'arrivée. D'un bout à l'autre de la course, Alec était resté couché, immobile, sur l'encolure.

Le tableau électrique afficha le résultat : deux minutes vingt-trois secondes. Un record peut-être qui ne serait sans doute jamais battu !

Tous les spectateurs se levèrent et firent une ovation au vainqueur. Ils avaient maintenant la preuve que Black était un grand crack !

Henry Dailey encaissa le montant du premier prix : quelque soixante-six mille dollars. Puis il dit à Alec :

« Pas mal, mais ce n'est qu'un commencement. Il

y a encore plusieurs courses intéressantes, c'est-à-dire beaucoup d'argent à gagner. De plus en plus d'argent ! »

Alec ne répondit pas. Il pensait à Pam, à son amour des chevaux, à son désintéressement. « Bien sûr, se disait-il, nous avons, Henry et moi, des responsabilités. Nous avons besoin d'une caisse constamment bien remplie pour l'entretien du ranch.

Mais, tout de même, Henry est embêtant. Il ne parle qu'argent. Jamais il n'a un mot flatteur pour Black. Jamais il ne s'extasie sur ses exploits ! »

Du jour au lendemain, les Californiens changèrent d'attitude. D'un seul coup, en battant un record sous leurs yeux et sur leur propre piste, Black les avait conquis. Si on les avait interrogés, ils auraient répondu : « Maintenant, il nous appartient tout autant qu'aux gens de l'Est ! » Ils l'observaient sans cesse, le suivaient partout. Alec lui-même n'avait plus un instant de repos. Il dut se résigner à ne jamais se trouver seul avec Black. Aux écuries comme sur la piste, il y avait toujours une cinquantaine de badauds qui ne les lâchaient pas d'une semelle. Ces hommes et ces femmes ne manquaient aucun entraînement de Black. Chacun d'eux se munissait d'un chronomètre. Ils avaient ainsi un moyen de s'assurer que la prodigieuse vitesse de l'étalon noir n'était pas une illusion.

Une semaine plus tard, Black affronta de nouveau dix concurrents. Ce jour-là, il portait soixante-dix kilos. Cela ne l'empêcha pas de distancer le peloton avec une aisance stupéfiante et d'enlever le Los Angeles Handicap dans un temps record.

Après avoir empoché cinquante-quatre mille dollars, Henry Dailey expliqua à Alec :

« Je savais qu'il ne serait guère gêné par ces soixante-dix kilos, sauf peut-être à la fin du parcours.

— Alors, pourquoi avez-vous protesté avec tant de véhémence auprès des handicapeurs ? »

Henry Dailey répondit avec un sourire finaud :

« Il ne faut jamais donner l'impression qu'on est satisfait. Il faut toujours rouspéter.

— C'est vrai », approuva Alec.

Combien de fois il avait entendu le vieil entraîneur se plaindre que Black était surchargé ! Mais, cette méthode qui lui avait si souvent réussi, peut-être parce qu'il l'assortissait parfois d'une menace, celle de retirer au dernier moment Black de telle ou telle épreuve, il ne l'emploierait sûrement pas en Californie. C'était du moins l'impression d'Alec. Il se doutait qu'Henry Dailey avait l'intention de rassembler beaucoup d'argent dans un laps de temps aussi bref que possible.

Les semaines suivantes, Black courut trois fois encore, sans affronter de concurrents notables. Les entraîneurs d'Hollywood Park admettaient son invincibilité. Ils ne le disaient pas clairement, mais ils gardaient leurs chevaux à l'écurie. Quelques-uns seulement acceptaient d'affronter l'étalon noir. La majorité préférait ne pas s'exposer à des défaites humiliantes.

À chaque course, Black portait soixante-dix kilos. Les chevaux qui se mesuraient avec lui portaient souvent trente-cinq livres de moins. Pour les turfistes, ces courses n'étaient plus que des démonstrations. Du départ à la fin de l'épreuve, ils gardaient les yeux fixés sur Black. Et ils l'applaudissaient à tout rompre, persuadés que, si Black n'avait pas été

retenu par son jockey, il aurait battu un record de plus.

Il était l'objet d'une adoration qu'Henry et Alec jugeaient exagérée. Mais ils n'y pouvaient rien.

« Il ne faut pas que tout cela te monte à la tête », disait Alec à l'étalon noir, lorsqu'il venait le retrouver dans son box, le seul endroit où il fût seul avec lui.

En réalité, il savait que Black était indifférent aux compliments, aux caresses et aux acclamations. Mais ceux qui le soignaient ne risquaient-ils pas, s'ils n'y prenaient garde, de se laisser griser ?

Les visiteurs venaient nombreux dans l'écurie contempler le continuel vainqueur. Alec, Henry et Deb se tenaient fièrement près de lui et partageaient sa gloire.

Malgré les apparences, ils n'avaient pas la vie facile. Un cheval comme Black, un grand crack, exigeait de leur part une attention de chaque instant. En outre, ils devaient se surveiller eux-mêmes, car leurs moindres propos étaient immédiatement répercutés par la presse. Chacun d'entre eux était non seulement critiqué, mais envié. Les turfistes se montraient parfois d'une étrange ignorance. Par exemple, certains d'entre eux semblaient ne pas savoir qu'un cheval peut être battu pour un simple faux pas sur la piste, un accident d'écurie, un petit rhume, une malchance tenace. Certes, le public aimait Black. Pourtant, on le sentait résolu à ne pas lui pardonner la moindre faute, ni la moindre faiblesse.

Henry était trop vieux pour espérer posséder un autre champion comme Black. D'ailleurs, le souhaitait-il ? Alec en doutait. Henry se montrait plus nerveux, plus irritable que jamais. Il avait enfoncé deux énormes bouchons d'ouate dans les oreilles de Black, pour qu'il ne fût pas gêné par la bruyante musique qui venait de l'écurie voisine. Et cette musique se prolongeait du matin au soir ! Furieux, Henry était allé voir l'entraîneur propriétaire de la radio et l'avait prié de baisser le son de son appareil. L'autre avait secoué la tête et répondu :

« Ici, tout le monde aime la musique, y compris les chevaux. Ça les habitue aux hurlements de la foule et au tintamarre de l'orchestre qui se fait entendre en général sur l'hippodrome les jours de courses. C'est excellent pour eux. »

Cet homme était jeune. On lui prédisait en Californie un avenir brillant. Quand Henry lui avait lancé sur un ton irrité que ce genre de musique risquait de rendre les chevaux idiots et avait invoqué sa longue expérience, il s'était contenté de répliquer, goguenard :

« Les temps ont changé, grand-père. Bien sûr, vous possédez un crack. N'empêche que vous n'êtes plus dans le coup. »

*
* *

Alec attira à lui la tête de l'étalon noir. Après une hésitation, il renonça à le débarrasser du coton qui lui bouchait les oreilles. Pourtant, il était persuadé que Black supportait très bien cette musique. Peut-être même la trouvait-il agréable. Alec y reconnaissait au passage des disques que Pam faisait tourner sur son électrophone...

Bientôt, ce serait le retour à Aqueduct, où la vie était tout de même plus facile qu'à Hollywood Park.

Alec se rendrait immédiatement au ranch de l'Espoir. Parviendrait-il à convaincre Pam de rester ?

La semaine suivante, après un dernier triomphe (qui permit à Henry Dailey d'empocher encore quarante-trois mille dollars), Black et sa petite cour reprirent le chemin d'Aqueduct.

# Chapitre 9

# « Je vous donne Arcturus »

Comme il l'avait projeté, Alec, dès le retour à Aqueduct, sauta dans sa voiture et se rendit au ranch de l'Espoir. Lorsqu'il y arriva, la nuit était tombée.

Il grimpa sur une barrière et contempla les prairies et les enclos, ainsi que le bois qu'on apercevait au loin, à travers un voile de brume.

De New York, il avait téléphoné à Pam pour lui annoncer qu'il arrivait. Elle lui avait répondu :

« Vous me trouverez avec Sable Noir près de la mare. Vous savez, celle qui est alimentée par une source. »

Il descendit de la barrière et s'en alla à travers la prairie. Il marchait d'un pas rapide et souple, l'oreille tendue au moindre bruit. Parfois, il s'arrêtait pour regarder un groupe sombre formé par des juments poulinières et des pouliches, puis il repartait. À la joie qu'il éprouvait toujours de revenir chez lui s'ajoutait celle de retrouver Pam dans un instant.

Les barrières étaient d'une blancheur immaculée,

les prairies parfaitement entretenues. Hélas, Henry avait raison. Il fallait gagner de l'argent, beaucoup d'argent pour garder au ranch son aspect agréable, accueillant. Il fallait travailler beaucoup, participer à de nombreuses épreuves.

Tout en marchant, Alec se demandait si Pam, devant une conception si matérielle des choses, accepterait de rester au ranch. Elle aimait une existence active, mais sans soucis, sans ambition. Alors qu'Alec ne se cachait pas de vouloir à tout prix « arriver ».

« Bah ! conclut-il, si nous savons nous faire des concessions, nous réussirons peut-être à nous entendre. »

La brume se levait, démasquant un ciel plein d'étoiles. Une belle nuit, calme, saine, amicale. Alec franchit d'un bond une autre barrière et courut en aspirant à pleins poumons l'air frais et léger de la nuit.

« Me voilà, Pam ! » cria-t-il.

Puis il rit, en se rendant compte qu'elle était trop loin pour l'entendre.

À la fin, de hauts arbres se dressèrent devant lui, comme des flèches pointées vers le ciel. Il cessa de courir et pénétra dans le bois qui, à cet endroit, limitait la prairie. Il n'eut aucune peine à suivre le sentier, grâce à la lumière des étoiles qui filtrait à travers les feuillages. Et bientôt, il arriva près d'une assez vaste mare au bord de laquelle Pam l'attendait.

Assise sur le sol et adossée au tronc d'un sapin, elle regardait Sable Noir se désaltérer au bord de la mare. Il s'arrêta à une dizaine de pas. Il revoyait Pam telle qu'il se l'était maintes fois représentée au cours du mois qui venait de s'écouler. Oui, c'était bien son visage, ses traits nets et fins.

Pourtant, elle n'était plus tout à fait la même. Elle paraissait plus petite, plus frêle qu'auparavant. Pourquoi l'imaginait-il plus robuste, plus forte ? Parce qu'elle était franche, directe, courageuse ? Parce que quand on lui parlait, elle vous regardait droit dans les yeux ? Parce qu'elle ne savait pas mentir ? Parce que...

Il fit un pas en avant. Tout de suite, elle l'entendit, alors que Sable Noir continuait de boire comme si de rien n'était. Elle se leva d'un bond et courut vers Alec.

« Je vous ai fait peur ? demanda-t-il.

— Mais non ! protesta-t-elle en riant. D'ailleurs, je vous attendais. »

Elle le toisa. Comme l'examen se prolongeait, Alec s'étonna :

« Eh bien ?

— Vous avez l'air en pleine forme.

— J'ai beaucoup travaillé. Tout au long de ce mois, j'ai couru je ne sais plus combien de fois.

— Moi aussi, j'ai beaucoup travaillé, affirma-t-elle.

— Et vous êtes, vous aussi, en pleine forme », dit Alec.

Ses cheveux blond clair tombaient en longues vagues de chaque côté de son visage. Et elle portait une simple robe de coton qui lui donnait la silhouette d'un jeune animal vigoureux.

« Et les poulains, demanda Alec, comment se comportent-ils ?

— À la perfection, répondit-elle. Surtout Sable Noir, ajouta-t-elle en lançant un coup d'œil au poulain qui, désaltéré, broutait en s'éloignant lentement. Il est plus rapide que jamais. Et nous nous entendons fort bien.

— J'en suis content pour vous et pour lui.

— Et vous-même, Alec ?

— Je suis très satisfait de ce que vous m'apprenez.

— Je vous ai dit que je vous trouvais en pleine forme. Cependant, vous avez quelque chose d'un peu tendu. Seriez-vous mécontent de votre séjour en Californie ? »

Il chercha un biais. Il ne voulait pas révéler à Pam que la seule raison du séjour en Californie était de gagner autant d'argent que possible pour l'entretien du ranch. Il se contenta d'expliquer :

« Il n'est peut-être pas surprenant que je sois un peu fatigué. Vous comprenez, une course tous les deux ou trois jours ! À la fin, un tel rythme est épuisant. Oh ! Black a fait tout ce qu'on lui demandait. Il a couvert des distances courtes et d'autres très longues, sur des terrains qui étaient un jour secs, le lendemain particulièrement collants. Les handicapeurs lui ont imposé des poids considérables, et pourtant, il a toujours gagné ! »

Elle commenta après un instant de silence :

« Voilà qui me fait plaisir, Alec. Toutes ces victoires, c'est important pour vous, n'est-ce pas ?

— C'est surtout important pour le fonctionnement du ranch. C'est pour gagner de l'argent que nous élevons et entraînons des chevaux. Sans argent, nous n'aurions plus qu'à fermer boutique.

— Je comprends, Alec. Mais, maintenant, vous êtes revenu chez vous. Vous n'aurez plus de soucis matériels, au moins pendant quelque temps. »

Côte à côte, ils s'approchèrent de la source qui alimentait la mare. Ils s'agenouillèrent, burent de l'eau glacée dans le creux de leurs mains, puis ils s'allongèrent sur le dos et regardèrent les étoiles.

Alec sentait les muscles de son dos se détendre au contact du sol encore tiède de la chaleur diurne.

« Je vous donne Arcturus, dit-il en montrant une grosse étoile rouge orange directement au-dessus d'eux. Vous la voyez ? À partir de maintenant, elle vous appartient. »

Pam sourit :

« Merci, Alec. »

Soudain, vers le sud, une étoile filante sillonna le ciel. Sa traîne dorée balaya un moment la nuit, comme un projecteur, puis disparut.

Pam se tourna vers Alec :

« Je ne voudrais pas disparaître aussi vite et aussi complètement. Au moins pas avant d'avoir vécu. »

Elle avait parlé sur un ton si sérieux qu'Alec ne cacha pas sa surprise :

« Vous n'avez rien à craindre, Pam, même si vous êtes vous-même une étoile filante. Je saurai bien vous empêcher de disparaître trop vite.

— Voilà une pensée délicate, Alec. Voyez-vous, je crois qu'il y a un temps pour aller et venir, et un temps pour rester au même endroit.

— Dans ce cas, pourquoi ne restez-vous pas ici ? Pourquoi cette bougeotte ?

— Est-ce que je sais ? Vous n'avez jamais éprouvé ce désir d'aller voir plus loin, toujours plus loin ?

— Non, répliqua-t-il d'un ton assez maussade, ça ne m'est jamais arrivé. Je suis de tempérament assez stable. Quand j'aime quelque chose ou

92

quelqu'un, je n'ai pas envie de m'en éloigner. Je suis heureux comme ça.

— Je ne peux pas en dire autant », murmura-t-elle.

*
* *

Le lendemain matin, peu après l'aube, on vint avertir Alec que Pam allait entraîner Sable Noir. Il la vit faire sortir de la boîte de départ ce poulain robuste et osseux, encore en pleine croissance. Pourtant, Sable Noir s'élança tout de suite avec une souplesse inattendue chez un animal encore très jeune. Pam avait décidé que cette séance d'entraîne-ment serait consacrée uniquement à la vitesse. Aussi conduisait-elle le poulain comme s'il participait à une course.

Sable Noir écoutait sa cavalière avec une atten-tion constante, et chacune de ses foulées était une merveille de maîtrise et d'efficacité. Comment, en un mois, Pam avait-elle pu obtenir un tel résultat ? Sans difficulté, elle dirigea Sable Noir vers la corde, puis elle le lança dans le premier tournant. Contrai-rement à ce que font, en pareille circonstance, la plupart des jeunes chevaux, il ne s'écarta pas de la corde.

Pourtant, il avait longtemps refusé d'être monté. Il était le plus rebelle de tous les deux ans du ranch. Et il en avait été ainsi jusqu'à l'arrivée de Pam.

À l'aide de ses jumelles, Alec le suivait dans la ligne droite. Sans le moindre doute, Sable Noir cou-rait pour le plaisir, comme contre lui-même. Pam, courbée sur l'encolure, ne bougeait pas. Elle sem-blait hypnotisée par la vitesse stupéfiante de sa monture. De son côté, s'il obéissait à toutes ses injonctions, Sable Noir ne paraissait même pas s'apercevoir qu'il portait une cavalière. Sans ralentir, il pénétra dans la deuxième et dernière ligne droite.

Alec n'avait pas besoin de consulter son chronomètre pour connaître les vitesses : vingt-cinq secondes pour quatre cents mètres et, pour huit cents mètres, quarante-huit secondes seulement. Résultats exceptionnels pour un cheval encore si jeune ! Dès maintenant, Sable Noir pouvait commencer à courir, et l'année suivante, dès qu'il aurait trois ans, si rien ne lui arrivait, il serait assez fort pour participer à de grandes épreuves comme le derby du Kentucky, le Preakness, le Belmont, car il était taillé aussi bien pour l'endurance que pour la rapidité.

Lorsque Pam revint, à pied, tenant Sable Noir par la bride, Alec lui dit :

« Vous aviez raison. Il est au point. Je vais l'emmener à Aqueduct.

— Il me manquera », murmura Pam en passant ses bras autour de l'encolure du poulain.

Alec n'avait pas oublié qu'Henry Dailey ne voulait pas que Pam mette les pieds à l'hippodrome. Mais ce fut plus fort que lui :

« Pourquoi ne venez-vous pas avec nous ? Depuis que vous êtes ici, vous n'avez pas eu un jour de repos. »

Un moment, elle resta la joue appuyée contre l'encolure du poulain.

« Je ne sais pas, répondit-elle avec une expression indécise. Et Henry Dailey, qu'en faites-vous ?

— J'inventerai quelque chose », dit Alec.

Il n'en avait pas la moindre idée.

« Je ne pars que dans trois jours, ajouta-t-il. Je finirai bien par trouver une explication plausible. »

Ces trois jours passèrent très vite. Pam et Alec travaillèrent ensemble chaque matin et chaque après-midi. Ils faisaient aussi de longues promenades.

Un soir, la veille de son départ, Alec dit à Pam :

« Il faut que je vous fasse un aveu : je n'ai jamais été aussi heureux. »

Il reprit, après un silence :

« Tout à l'heure, j'ai téléphoné à Henry. Je lui ai annoncé que j'amenais Sable Noir. Je n'ai pas fait la moindre allusion à vous.

— Tant mieux !

— Pourquoi ?

— Parce que je n'ai pas l'intention de vous accompagner. Moi aussi, j'ai réfléchi. Je ne vois, pour vous comme pour moi, que des ennuis en perspective. Alors, à quoi bon ? »

Il eut peur. N'allait-elle pas lui annoncer qu'elle avait décidé de quitter le ranch et de reprendre sa vie errante ?

« Pourtant, ce ne serait pas un changement désagréable pour vous. Vous ne seriez pas obligée de rester, si vous vous ennuyiez. Mais j'ai l'impression que ce serait le contraire. Je monte Black en course samedi. J'aimerais que vous fassiez sa connaissance. Jusqu'ici, vous ne l'avez vu qu'à la télévision. Dans la réalité, c'est autre chose ! Et cette course est importante. C'est même, pour Black, l'une des plus dures. Alors, Pam ? »

Elle le regarda en riant.

« Les choses, telles que vous les présentez,

devraient être intéressantes... peut-être même amusantes. Ça me plairait de vous voir monter Black dans une course importante. J'en ai toujours eu envie... Eh bien, c'est entendu, Alec. Je serai là-bas samedi... ne serait-ce que pour vous voir.

— Et après, vous reviendrez au ranch ? Je veux vous y retrouver.

— Vous m'y retrouverez, c'est promis. »

# Chapitre 10

# Cinq partants...

À quatre heures et quart, le samedi suivant, Alec fit entrer Black dans l'une des stalles automatiques, sur l'hippodrome d'Aqueduct. L'orchestre avait cessé de jouer. La parade était terminée. Les chevaux s'apprêtaient à disputer le Manhattan Handicap : deux mille six cents mètres, trente-sept mille cent quatre-vingts dollars au gagnant.

Black occupait la stalle n° 3. Il demeurait presque immobile. Ses concurrents finissaient de se ranger sous les ordres du starter, tandis que deux ou trois membres du personnel de l'hippodrome vérifiaient en hâte la fermeture des portes.

Alec nota que les drapeaux plantés de distance en distance le long de la piste bougeaient à peine. Donc, le vent vif qui, depuis le matin, accompagnait la pluie, avait fini par tomber et n'aurait en tout cas aucune influence sur le déroulement de la course. Mais la piste restait boueuse et lourde.

Dans les tribunes, quatre-vingt mille spectateurs attendaient dans la fièvre le tintement de la cloche.

Alec abaissa ses lunettes. Devant lui se déroulait

la longue ligne droite précédant en général l'arrivée. En effet, ce jour-là, l'épreuve commençait au dernier virage. Elle paraîtrait d'autant plus pénible à Black, lorsqu'il entamerait le deuxième tour, que les handicapeurs ne l'avaient pas ménagé : soixante-dix kilos cinq cents. À bien des points de vue, cette course, contre quatre chevaux peu chargés, risquait d'être la plus rude de l'année. Or, Alec savait que Pam était parmi les spectateurs. Et il s'était promis de lui donner un beau spectacle.

Il jeta un coup d'œil au cheval placé sur sa gauche, dans la boîte numéro deux. Cet alezan clair, nommé Danseur Solaire, aussi grand et aussi puissant que Black, était considéré comme le deuxième favori. Il avait d'excellentes proportions, encolure, poitrail, membres bien modelés, tête haute, arrogante. On sentait qu'il brûlait de démarrer. De l'un de ses antérieurs, il frappait sans cesse l'un des battants de la porte. Il finit par l'entrouvrir. Un des employés se précipita pour la refermer.

Le jockey de Danseur Solaire n'était autre que le jeune Mario Santos, dont la popularité n'avait cessé de grandir parmi les turfistes new-yorkais depuis qu'Alec l'avait vu essayer d'arracher la première place à Becky Moore. Mario avait déjà remporté nombre de succès à Aqueduct. De sorte que les turfistes le considéraient comme le plus dangereux rival de Black.

À gauche de Danseur Solaire, dans la boîte n° 1, il y avait Feu de Broussailles, son compagnon d'écurie. Ces deux chevaux avaient été inscrits dans le Manhattan Handicap par Mel Miller, le meilleur entraîneur d'Aqueduct. Comme Mario Santos, Miller était aimé des turfistes new-yorkais, car il faisait rarement courir ses chevaux dans une autre région des États-Unis. En outre, il possédait de l'habileté, de l'énergie, de la jeunesse, et savait se servir à son avantage de ces précieuses qualités. Enfin, aimant le risque et la nouveauté, c'était lui qui avait eu l'idée de confier Feu de Broussailles à Becky Moore.

Feu de Broussailles était un bai à longue crinière noire et queue fournie. Il ne portait que cinquante kilos cinq cents, ce qui était peu pour un cheval considéré comme un sprinter. On pouvait donc compter qu'il se montrerait dangereux. Plutôt petit, il faisait paraître Danseur Solaire, son plus proche voisin, encore plus grand qu'il n'était en réalité.

Alec examina Becky Moore. Elle avait, dans le visage, quelque chose de jeune, d'inexpérimenté. Après combien de courses aurait-elle la même expression que ses concurrents masculins ? Mince et très féminine, possédait-elle une résistance suffisante ? Elle se retrouvait face à face avec Mario, mais, cette fois, ils appartenaient à la même écurie.

Black commençait à donner des signes d'impatience. Il secouait la tête. Il grattait le sol avec ses sabots ou le martelait nerveusement. Alec lui parla. Les autres chevaux, eux aussi, bougeaient, piaffaient, montraient qu'ils avaient hâte de démarrer. Le soleil jouait sur les casaques.

À droite d'Alec, dans la stalle n° 4, il y avait Brouillard Gris. Ce cheval de haute taille, aux jambes interminables, à la silhouette assez gauche, était capable de couvrir, s'il le fallait, trois kilomètres deux cents à grande vitesse. Pour l'instant, il montrait surtout de la nervosité et de l'inquiétude. Sans cesse, il heurtait les bat-flanc de sa stalle.

Outre les cinquante-sept kilos de son handicap, il

portait un jockey qui n'était autre que le vétéran Mike Costello. Alec revoyait Mike aidant, sur ce même hippodrome, Becky Moore. Aujourd'hui, cette aide ne serait sans doute pas nécessaire...

Brouillard Gris s'étant cabré, Mike essaya de le faire retomber sur ses jambes. Mais il eut beau y mettre toute sa force, il n'y parvint pas. Alors, craignant que le cheval ne tombât à la renverse, il empoigna des poutrelles placées au-dessus de sa tête, quitta ses étriers et se souleva de la selle. À ce moment, un employé se précipita et, s'étant hissé au sommet de la porte de la boîte, saisit la bride et contraignit Brouillard Gris à se reposer sur le sol. Lentement, prudemment, Mike reprit place sur la selle, mais son visage rond et ridé avait perdu toute couleur.

Alec savait que Mike, dans sa jeunesse, s'était souvent opposé à Henry Dailey sur les hippodromes, et qu'ils étaient devenus des amis intimes. On considérait Mike comme l'un des plus grands jockeys de tous les temps. Et il avait toujours la passion de courir. Cependant, le moment était venu pour lui de prendre sa retraite. Une fois déjà, il s'était retiré. Ce n'avait été qu'une fausse sortie. Il avait eu tort de reparaître. Il n'était plus le même. Il avait perdu son allant et donnait l'impression d'avoir peur. Depuis le début de la saison, il n'avait remporté qu'une ou deux victoires. La course qui allait commencer ne semblait pas devoir lui être favorable.

Du haut de son perchoir, le starter l'apostropha :

« Ça va, Mike ?

— Merci de me le demander, répondit Mike Costello. Un vieux bonhomme comme moi n'a pas la vie facile sur un canasson comme celui-là ! »

Alec ne put s'empêcher de sourire. Il regarda avec admiration ce vieux jockey au corps sec et apparemment aussi dur qu'une barre de fer. S'il n'avait pas possédé une si longue expérience, Mike serait peut-être tombé un moment auparavant sous les sabots de son cheval. Pour l'instant, il plaisantait, mais, au fond de lui-même, comme tous ses rivaux, il demeurait grave et tendu. Les jockeys exercent une profession où, contrairement à ce que pensent les profanes, tout est difficile et périlleux.

À son tour, Black, impatienté, se cabra. Alec le contraignit à se reposer sur ses sabots. Mais, pour cela, il eut presque autant de peine que Mike avec Brouillard Gris.

Le cheval qui occupait la boîte située à l'extérieur s'appelait Matelot. Ce bai de proportions impressionnantes portait cinquante-cinq kilos. Lui aussi s'agita, mais ne tarda pas à se calmer. Il réussissait dans les courses assez longues, supérieures à mille six cents mètres, et possédait dans cette spécialité un palmarès plutôt brillant. Cependant, ce n'était pas lui qu'Alec redoutait le plus, c'était son jockey, Peter Edge.

Sur les cinq concurrents, Matelot n'était pas considéré, par les turfistes, comme le meilleur. Il occupait, dans leur esprit, la troisième place. Mais il pouvait conquérir la deuxième et même la première, car son jockey était considéré comme un homme redoutable, aussi bien dans la vie courante que sur une piste. Partout où il apparaissait, chacun s'empressait de ne pas se trouver sur son passage. Peter Edge était trapu et très fort. Sa paupière gauche restait en permanence à demi fermée. Une longue cicatrice sillonnait sa joue — souvenir d'une déchirure infligée par le fer d'un cheval au galop. Cette cicatrice lui donnait l'air de ce qu'il était en réalité : un personnage inquiétant doublé d'une brute. Plus qu'aucun autre jockey, il avait gagné de nombreuses courses où, selon les connaisseurs, il n'avait pas la moindre chance de triompher...

Alec le vit secouer son cheval, lui donner de violents coups de talons. Il faut dire que Matelot, après une brève agitation, était retombé dans un calme qui ressemblait beaucoup à de la somnolence. Peter Edge devait craindre que le tintement de la cloche ne le trouvât plongé dans un profond sommeil. Aussi multipliait-il les efforts pour le maintenir éveillé.

Soudain, Feu de Broussailles força les portes de sa stalle automatique et s'échappa, emportant Becky Moore, sa cavalière. Il n'alla pas loin. Un employé le ramena dans sa boîte. Becky semblait insensible aux rires et aux cris d'animaux qui venaient des tribunes. Avec sa toque enfoncée jusqu'aux oreilles et ses lunettes énormes, elle n'avait plus rien de féminin.

Dans les boîtes, les chevaux montraient une nervosité croissante.

« Toi, ne bouge pas, dit Alec à Black. Laisse les autres se fatiguer avant l'heure. »

Il sentait sous ses genoux les deux sacs qui pendaient à droite et à gauche sous le pommeau de la selle et contenaient les masses de plomb représentant le handicap. Ces sacs étaient attachés solidement. Ils ne bougeraient pas d'un millimètre, même au plus fort de la course.

Le starter se trouvait dans l'impossibilité de donner le départ. En effet, c'était maintenant Danseur

Solaire qui, dans la stalle n° 2, faisait des siennes, menaçait même de se coucher. Mario Santos, son jockey, secouait les rênes, utilisait ses talons, sa cravache. Mais le cheval refusait de se redresser.

« Frapper ne sert à rien, pensa Alec. N'importe quel cheval est vingt fois plus fort qu'un homme et, si ça lui chante, il se charge vite de le lui montrer. »

Mario Santos serrait les mâchoires, et ses yeux très noirs lançaient des éclairs. Son maigre visage avait une expression furieuse où s'accentuaient les marques profondes d'une enfance misérable. Ambitieux, il aimait gagner. Il n'avait jamais eu de meilleur cheval que Danseur Solaire. Il était prêt à tout faire pour empêcher la chance de lui échapper.

Danseur Solaire heurtait les parois de la boîte avec tant de rage qu'un employé de l'hippodrome dut voler au secours de Mario.

Alec savait que Mel Miller avait l'intention d'utiliser Feu de Broussailles et Danseur Solaire pour battre Black. Le plan de Miller était simple. Dans un premier temps, Feu de Broussailles contraindrait Black à une allure aussi rapide que possible. Ensuite, dans la dernière ligne droite, Danseur Solaire succéderait à Feu de Broussailles et tenterait d'« achever » le grand crack.

En somme, un combat à deux contre un. Alec redoutait assez peu cette stratégie. Il choisirait la tactique appropriée lorsqu'il aurait une idée de l'allure que Feu de Broussailles chercherait à imposer à Black.

Il examina encore Feu de Broussailles. Celui-ci semblait indifférent aux excentricités de son compagnon d'écurie et bougeait à peine. Il portait des œillères rouges, et sa tête bien modelée, presque immobile, prolongeait une encolure courte et musculeuse.

Alec était persuadé que Becky Moore tenterait de battre Black. Comme Mario Santos, elle était probablement décidée à tout pour réussir. Mais lui en laisserait-on la possibilité ? En tout cas, on pouvait compter que Becky tiendrait jusqu'à la limite des forces de sa monture.

Mario Santos avait réussi à calmer Danseur Solaire. Tous les concurrents étaient prêts. Le starter s'apprêtait à appuyer sur le bouton qui, électriquement, ouvrait les portes des compartiments. Au-dessous de lui, son assistant tenait un drapeau rouge. Il l'abaisserait dès que la cloche se ferait entendre.

Black tressaillait. Alec avait de plus en plus de mal à le tenir. Il ne souhaitait qu'une chose : que le départ se fît avec netteté, dans l'ordre, sans bousculade.

Soudain, avec un claquement métallique, les portes s'ouvrirent. La cloche sonna. Le drapeau rouge s'abaissa. Le Manhattan Handicap commençait !

# Chapitre 11

# Le Manhattan Handicap

Black et Brouillard Gris, ce dernier cravaché par Mike Costello qui aurait bien voulu prendre la tête, démarrèrent ensemble. Les deux chevaux se frôlèrent, mais sans se déséquilibrer. Alec, de la voix et des talons, stimulait Black. Il était résolu à distancer au plus vite ses rivaux.

À la surprise générale, Danseur Solaire avait jailli le premier de sa boîte, et il fonçait à une longueur du peloton, suivi de près par Feu de Broussailles. Celui-ci tendait en avant son encolure robuste et pointait, au-dessus de ses œillères rouge vif, des oreilles frémissantes. Sur la selle, Becky Moore se balançait d'un mouvement régulier. Elle serrait les mâchoires. Sans doute était-elle décidée à donner la cadence — un rôle qui, dans son esprit, lui revenait de droit.

La foule, ravie d'assister dès le démarrage à un duel entre compagnons d'écurie, hurla son approbation.

Alec modifia son plan presque tout de suite. Il attendrait, pour pousser Black à fond, d'avoir franchi le tournant et de se trouver sur la ligne droite d'arrivée. Cela faisait une assez longue distance à parcourir et beaucoup de temps. Il laissa donc Mike Costello, sur Brouillard Gris, le dépasser. Du coin de l'œil, il s'assura que Matelot, sorti dernier des stalles, restait loin à l'extérieur de la piste et à deux bonnes longueurs derrière le peloton.

Danseur Solaire maintenait son avance sur Feu de Broussailles. Son jockey, Mario Santos, paraissait déterminé à rester en tête, sans souci de la stratégie qui avait pu être mise au point avant la course. Becky Moore continuait à foncer. Elle faisait galoper Feu de Broussailles à tombeau ouvert, essayait d'arracher à Mario la tête du peloton.

Alec se demandait si la course n'allait pas se résumer, malgré les instructions de leur entraîneur commun, à un combat entre Mario et Becky. Certains jeunes jockeys se montraient souvent têtus. Ils oubliaient ce qui avait été projeté et couraient selon l'inspiration du moment. Alec lui-même avait fait parfois le contraire de ce qu'Henry lui avait conseillé. Il est vrai que, dans une course, il y avait tant d'imprévu !

Lorsque les concurrents passèrent en trombe devant les tribunes, les spectateurs restèrent silencieux comme fascinés par le duel qui se déroulait entre Danseur Solaire et Feu de Broussailles. Brouillard Gris se maintenait à une longueur derrière eux, suivi par Black et Matelot.

Black avait adopté un galop régulier. Alec se contentait d'attendre le moment de le lâcher. En même temps, grâce à la place qu'il occupait presque à la corde et directement derrière Danseur Solaire, il économisait du terrain. Brouillard Gris galopait à sa droite, à une demi-longueur en avant, un peu trop près cependant. En effet, sa croupe ne se trouvait qu'à quelques centimètres de Black. Pour l'instant, elle ne le gênait pas. Mais, si quelque chose se produisait, un brusque arrêt de tout le peloton par exemple...

Soudain, les spectateurs rompirent le silence. Ce ne fut qu'un cri :

« Danseur Solaire a buté ! »

C'était vrai. Cependant, si Danseur Solaire se reprit presque aussitôt, il n'en fut pas de même pour Mario Santos. Celui-ci perdit l'équilibre, passa par-dessus la tête de sa monture, s'abattit sur le sol et resta immobile comme un tas de chiffons, devant le peloton qui arrivait à fond de train.

Dès que Danseur Solaire buta, Alec raccourcit ses rênes. Il vit Mario tomber. Il entendit les sabots de l'étalon noir heurter la toque du jockey à l'instant où le grand crack le franchissait d'un bond. Il faillit s'arrêter, la gorge étreinte. Puis, se souvenant que toutes les toques contenaient à l'intérieur un casque de protection, il fut à peu près rassuré sur le sort de Mario Santos et poursuivit son chemin.

Il manœuvra pour que Black ne bousculât pas Danseur Solaire qui, sans cavalier, continuait sa route. Feu de Broussailles fut freiné par Becky Moore, puis de nouveau autorisé à foncer. Brouillard Gris ne s'était sans doute même pas aperçu qu'on venait de frôler dans son dos l'accident. C'était lui qui, maintenant, allait en tête.

Alec laissa glisser ses rênes entre ses doigts humides et il éloigna Black d'un Danseur Solaire rendu dangereux par l'absence de jockey. Les accidents faisaient partie de sa profession. Maintenant, il se devait de ne plus penser à Mario.

Feu de Broussailles rattrapa Brouillard Gris. Ils luttèrent côte à côte pour le commandement du peloton. Alec, renonçant à attendre plus longtemps, décida de les rejoindre.

Juste à la seconde où il démarrait, Danseur Solaire obliqua vers lui et lui barra le chemin. Alec dut tirer de nouveau sur ses rênes. Mais, cette fois, Black prit mal la chose. Il secoua la tête avec violence, comme s'il voulait se débarrasser du mors. À droite surgit Matelot qui, piloté par Peter Edge, s'efforçait de gagner du terrain. Ce grand cheval osseux avait des foulées gigantesques.

Lorsqu'il fut au centre de la piste, Alec eut à sa droite Danseur Solaire et Matelot à sa gauche. Un moment, ils galopèrent en bloc compact. Puis Danseur Solaire commença de remonter Black, en obliquant comme pour se placer devant lui. Alec pensa : « Attention ! » S'il essayait de se faufiler entre ces deux-là, il pouvait y avoir du vilain. Un sabot accrochant un autre sabot, et c'était la culbute, l'accident.

Quand Alec, une nouvelle fois, le retint, Black secoua la tête plus furieusement que jamais. Au lieu de ralentir, il s'arracha au sol d'un effort prodigieux et, littéralement, plongea entre Matelot et Danseur Solaire.

Alec ne put l'empêcher de heurter Matelot et, presque, de le déséquilibrer. Peter Edge protesta avec colère, en tentant de redresser son cheval. Mais Alec entendit à peine ses protestations. Déjà, Black avait pris le large. Dans un élan prodigieux, il avait brûlé la politesse à Matelot ainsi qu'à Danseur Solaire, et il filait vers le tournant qu'on appelait « le virage du Club ». En quelques secondes, il ne fut plus qu'à une dizaine de mètres de Brouillard Gris. Celui-ci luttait à la corde contre Feu de Broussailles.

Mike Costello se retourna à demi et, l'air étonné, lança un regard d'avertissement à Alec, lequel multiplia les efforts pour contraindre Black à obliquer. Peine perdue ! L'étalon noir rattrapa Brouillard Gris et le serra si étroitement qu'il le força à pousser Feu de Broussailles tout contre la corde.

Mike Costello tira sur les rênes de Brouillard Gris, parvint à lui faire reprendre son équilibre et redémarra. Becky Moore, pour ne pas défoncer la barrière, dut ralentir et se laisser distancer.

Black s'engagea dans le « virage du Club ». Il allait à pleine vitesse, l'encolure tendue, les naseaux dilatés, comme s'il savourait à fond une liberté chèrement acquise.

Après le tournant et dès le début de la ligne droite, Alec raccourcit les rênes. Cette fois, il obtint un résultat. Black ralentit. Ayant fait la preuve que sa valeur était intacte, il ne trouvait plus aucun plaisir à défier l'autorité de son jockey... encore qu'il fût difficile d'imaginer ce qui se passait dans son cerveau.

Alec jeta un regard en arrière. Brouillard Gris n'était pas hors de course, mais il galopait à plusieurs longueurs. Feu de Broussailles ne semblait pas encore remis d'avoir été projeté contre la barrière. On pouvait le considérer comme définitivement « dans les choux ». Matelot, le plus proche de tous, se maintenait à une longueur. Quant à Danseur Solaire, le cheval sans cavalier, responsable de l'incident, il paraissait sur le point de s'arrêter.

Alec savait qu'il n'y a pas deux courses semblables. Mais il n'en avait jamais couru de plus désagréable que celle-là. Certes, Black galopait en tête et allait sûrement gagner. Cependant, serait-il proclamé gagnant ? Sûrement pas. Les autres concurrents avaient été plus ou moins gênés. Il y avait eu des heurts, des bousculades, dont Alec lui-même et l'étalon noir étaient en grande partie responsables. Les jockeys déposeraient leurs réclamations dès que la course serait terminée et avant l'annonce des résultats...

Après le « virage du Club », Peter Edge rapprocha Matelot de Black. Mais Alec détendit un peu plus ses rênes. L'étalon noir partit comme un trait et franchit la ligne d'arrivée avec une aisance souveraine. Pour la première fois de sa carrière, Alec perçut alors, parmi les acclamations venant des tribunes, quelques miaulements et autres cris d'animaux.

Plus tard, lorsque Black revint à la ligne d'arrivée, il ne fut pas conduit dans le cercle où l'on exhibait habituellement le gagnant. Comme Alec l'avait prévu, les jockeys avaient déjà déposé des réclamations. Peter Edge prétendait que Black, ayant heurté son cheval dans la première ligne droite, avait failli le renverser. Becky assurait que Feu de Broussailles avait été poussé par Brouillard Gris contre la barrière. Enfin Mike Costello jurait que Black l'avait contraint à bousculer Feu de Broussailles.

De semblables plaintes n'étaient pas rares. Mais c'était la première fois que, directement ou indirectement, elles incriminaient toutes Alec Ramsay et son champion.

Alec attendit avec les autres jockeys que les commissaires eussent terminé l'examen du film de la course. Il apprit que Mario Santos, après son accident, s'était dirigé par ses propres moyens vers l'ambulance. Il semblait n'avoir d'autre blessure qu'une fracture du bras droit. Alec pensa avec un immense soulagement que le reste était maintenant sans importance.

Cinq minutes plus tard, un haut-parleur annonça les décisions prises par les commissaires. Black, distancé, était rétrogradé à la quatrième place. Matelot était proclamé gagnant. Feu de Broussailles montait à la deuxième place, Brouillard Gris restait à la troisième.

Puis, sur le tableau électrique, le temps de Black s'inscrivit en chiffre lumineux. Le record était battu de quatre cinquièmes de seconde. Mais que signifie un record quand, d'autre part, on est distancé ?

Quant à Alec, que les commissaires considéraient comme le vrai coupable, il était suspendu pour dix jours.

# Chapitre 12

# Un abîme de silence

Quand Alec et Black arrivèrent aux écuries, les journalistes et les cameramen les attendaient. Henry Dailey, à toutes les questions que ces derniers lui posaient, répondait avec sécheresse sans la moindre bonne volonté.

Ce fut Alec qui supporta tout le poids de son mécontentement.

« Si tu avais un peu réfléchi, lui dit le vieil entraîneur, nous n'aurions pas ces ennuis. Mais tu étais dans les nuages. Tu pensais à autre chose ! »

Henry était visiblement d'une humeur de dogue. Alec préféra ne pas répondre. Il tenait Black par un bridon. Deb, le gardien et palefrenier, avait commencé de laver à grande eau le corps fumant de l'étalon noir.

« Allons, Deb, plus vite ! gronda Henry. Ne te retourne pas sans cesse du côté des caméras. Et puis, passe-moi cette éponge. Je vais le laver moi-même. »

Il pressa l'éponge au-dessus de la tête de Black, et l'eau coula le long du chanfrein et des naseaux, entraînant la sueur. Black secoua la tête et se cabra. Tous les badauds reculèrent.

« Alec, rugit Henry, fais-le redescendre ! Et passe-lui cette chaîne autour des naseaux ! »

Alec prit la chaîne. Mais lorsqu'il eut contraint Black à retomber sur ses antérieurs, il se garda bien d'obéir à Henry. L'étalon noir gratta le sol du sabot et hennit d'impatience. Tous les assistants fixaient sur lui des regards admiratifs.

« Mario a eu de la chance de s'en tirer avec un bras cassé, dit un journaliste.

— Son casque l'a sauvé, dit un autre. Black l'a rudement piétiné !

— Oui, il a eu de la chance, reprit le premier journaliste. Mais il ne courra pas l'Empire State Handicap, samedi prochain... pas plus qu'Alec. »

Henry continuait à laver Black et ne prêtait aucune attention aux journalistes. Il promenait son éponge sur le dos, l'encolure, les flancs et la croupe de l'étalon noir. Il procédait par larges coups rapides et projetait — intentionnellement, à n'en pas douter — de l'eau sur les assistants.

Les photographes durent même couvrir, pour les protéger, les objectifs de leurs appareils. L'un d'eux, agacé par l'hostilité du vieil entraîneur et connaissant bien son dédain des femmes jockeys, lui dit :

« On prétend que Mel Miller a l'intention d'engager samedi prochain Becky Moore sur Danseur Solaire. Elle est bien capable de gagner. Qu'est-ce que vous pensez de ça, Henry ? Vous vous rendez compte : une fille gagnant cent mille dollars qui auraient pu tomber dans votre poche ! »

Henry ne répondit pas, comme s'il était devenu sourd. Il changeait souvent l'eau, et il aboyait contre Deb lorsqu'il ne lui apportait pas assez vite un nouveau seau ou contre Alec quand il laissait un peu trop de liberté à Black. Brusquement, lorsque l'opération du lavage fut terminée, le vieil entraîneur plongea la queue de l'étalon noir dans le seau et s'en servit pour asperger copieusement les visages des journalistes et des photographes, sans oublier les caméras. Tout le monde, encore une fois, recula. Il y eut des protestations étouffées, des murmures furieux.

Alec comprenait l'irritation des assistants. Henry semblait considérer le distancement de Black comme un affront personnel. Mais, de tous les entraîneurs travaillant à Aqueduct, il était peut-être celui qui détestait le plus Mel Miller. Il devait donc juger insupportable, surtout par un jour aussi sombre que celui-là, la seule idée que Miller aurait pu gagner cent mille dollars grâce à une femme jockey !

Se retournant, Alec aperçut un groupe qui, longeant les écuries, se dirigeait vers eux. C'était Miller qui, entouré d'amis et de collaborateurs, fêtait sa victoire. Si le populaire entraîneur n'avait pas remporté le premier prix, la deuxième place de Feu de Broussailles lui rapportait tout de même douze mille dollars. En outre, sans posséder le cheval le plus rapide, il n'en avait pas moins — très officiellement — battu Black.

Le groupe était suivi d'un chariot sur lequel on avait entassé gâteaux, sandwiches et bouteilles de champagne. Miller, pour les réunions de ce genre, invitait, outre son personnel, celui de toutes les autres écuries : gardiens, lads, jockeys, même les entraîneurs et les propriétaires, auxquels se joignaient naturellement les journalistes et cameramen. Tout le monde l'aimait. Il était courtois, répondait avec calme aux questions les plus saugrenues. « Il est bien différent d'Henry ! » pensait Alec.

Henry commençait à essuyer Black. Sous la robe sombre de l'étalon noir, la splendide musculature témoignait d'un entraînement prudent et savant à la fois. Ce résultat était dû en majeure partie à Henry Dailey. C'était lui qui, petit à petit, avait amené Black à cet épanouissement de beauté et de puissance. En quelque sorte, il l'avait modelé. Bien sûr, le vieil entraîneur n'était pas sans défaut. Mais Alec savait que personne n'est parfait, qu'il faut supporter son prochain et que le plus important est le respect de nos semblables... Lorsqu'il eut formulé cette pensée dans son for intérieur, il sourit et évoqua Pam. Sans doute, en l'occurrence, aurait-elle dit à peu près la même chose... Il se demanda ce qu'elle faisait. Elle lui avait promis de venir le voir après la course. Fallait-il, en fin de compte, le souhaiter ? La situation, si Pam apparaissait soudain, ne risquait-elle pas de se compliquer, de devenir très délicate ?

Mel Miller se détacha de ses amis et se dirigea vers Henry. Alec, s'il l'avait osé, aurait tourné les talons et disparu. Il savait que Miller, malgré sa courtoisie, était parfois d'une franchise presque brutale dans ses conversations avec le vieil entraîneur. N'avait-il pas osé lui dire un jour :

« Il y a longtemps que j'aurais battu Black si les handicapeurs faisaient mieux leur travail. »

Mais, aux yeux d'Henry, il y avait encore plus grave. Miller était, dans l'État de New York, le premier entraîneur qui avait introduit sur les champs de courses une femme jockey, Becky Moore.

Il continuait à s'avancer, mince, élégant, trop grand pour avoir été jockey lui-même. Et quelle assurance ! Il avait l'air d'un homme d'affaires encore jeune, mais qui a déjà réussi. En effet, à l'origine, il avait acheté quelques chevaux malades ou blessés. Il les avait soignés, guéris, puis entraînés et conduits de victoire en victoire. Aujourd'hui, grâce à un travail acharné et à son talent, il possédait une écurie réputée.

À quelques pas d'Henry, brusquement il obliqua et, à la surprise générale, se dirigea vers les journalistes. Il les invita en ces termes :

« Alors, vous venez ? Il y a des sandwiches, du champagne. »

Les journalistes savaient qu'une assez vive hostilité séparait les deux entraîneurs. Ils décidèrent de s'en amuser.

« Monsieur Miller, demanda un journaliste, est-il vrai que vous engagez samedi Becky Moore et Danseur Solaire ?

— Absolument, répondit Miller. J'aime la façon dont Becky monte à cheval. Elle est, après Mario, mon meilleur placement. »

Il ajouta avec bonne humeur, après un coup d'œil à Black :

« Nous gagnerons.

— Si je vous comprends bien, reprit le journaliste, vous êtes tranquille... grâce à l'absence de Black.

— Vous m'avez bien compris. Mais, vous savez, je serais tranquille même si Black courait. Il n'est pas imbattable. Regardez ce qui s'est passé aujourd'hui. »

Henry restait muet, un abîme de silence. Il

n'avait pas encore fini de passer et repasser son éponge sur le dos et l'encolure de Black.

« Beaucoup d'entraîneurs croient ce que vous écrivez sur Black, vous autres journalistes, continua Miller d'un air rusé. Je ne suis pas de ceux-là. Il en faut beaucoup pour m'impressionner. Il peut toujours arriver quelque chose à un cheval, même lorsqu'il s'agit d'un grand crack. Et puis, la chance est parfois capricieuse. Imaginez qu'elle cesse brusquement de sourire à Alec, qu'il se mette à commettre de ces fautes apparemment insignifiantes qui vous font perdre course sur course. Plus de victoires, plus d'argent ! »

Les journalistes écoutaient avec plaisir ces propos vaguement insolents qui, une fois de plus, allaient fournir l'essentiel de leurs articles.

L'un d'eux demanda :

« Danseur Solaire a fait une course assez mouvementée. Pas de blessures ?

— Même pas une écorchure. Et s'il n'avait pas buté... »

Miller regarda Henry qui, à cet instant, lui tournait le dos. Puis il ajouta :

« À mon avis, les handicapeurs avaient bien fait leur métier aujourd'hui. Les poids étaient normaux. J'avais réservé Danseur Solaire pour cette course. Il est bien dommage qu'elle ne se soit pas déroulée normalement... »

Henry avait terminé son travail.

« Promène-le Alec dit-il sans élever la voix. Bien sûr, Deb pourrait le faire. Je préfère que ce soit toi. Ensuite l'abreuvoir. Seulement quelques gorgées d'eau. Je n'ai pas envie qu'il attrape froid. »

Sur ces mots, Henry tourna brusquement les talons, entra dans la sellerie et ferma la porte.

Alec promena Black jusqu'à ce que sa robe fût parfaitement sèche. Ensuite, il le conduisit à son box. Il palpa l'antérieur droit de l'étalon noir. N'y ayant trouvé aucune trace de fièvre, il le souleva. Il y avait, dans une cavité du sabot nommée four-chette, sous le fer, un petit morceau de cuir, de l'épaisseur d'un pain à cacheter. Ce morceau de cuir protégeait de la boue un endroit douloureux qui avait donné naguère pas mal de soucis à Alec et Henry.

Black avait bien le droit de se reposer, ne fût-ce qu'un temps assez court. « D'autant plus, pensa Alec, que nous disposons dorénavant de Sable Noir. » Il décida d'obtenir d'Henry que Black fût renvoyé au ranch. Un changement d'atmosphère ne pouvait lui être que favorable, lui rendre en tout cas son équilibre nerveux, car, aujourd'hui, il avait été plutôt difficile à manier !

Tirant de sa poche une pince, Alec en utilisa les branches pour rechercher, au voisinage du morceau de cuir, l'endroit douloureux. Black ne broncha pas.

« Il est parfaitement guéri », fit une voix venant de la porte.

Alec se retourna avec tant de vivacité qu'il perdit l'équilibre et tomba assis sur la litière.

« Tiens, bonjour, Pam », dit-il.

Depuis combien de temps l'observait-elle ? Elle était bien confortablement accoudée à la demi-porte du box, le menton dans les mains.

Brusquement, sans crier gare, elle se redressa, ouvrit la porte, entra. Au même instant, Black, les naseaux dilatés, tête basse, marcha vers elle. Alec pensa : « Il va la mordre ! » Il se releva d'un bond, se lança à la poursuite de l'étalon noir.

Mais, presque aussitôt, il s'arrêta, comprenant qu'il n'avait rien à craindre. Très certainement, il sentait l'amour et la confiance de Pam pour tous les animaux. Sur-le-champ, il abandonna son attitude menaçante. Il releva la tête et marcha vers Pam d'un pas léger, dansant. Puis il s'immobilisa, ses grands yeux brillants, l'air très fier de lui-même.

Après un instant de stupeur, elle murmura :

« Oh ! Alec, il est encore plus beau que je ne pensais ! Regardez ses yeux. On dirait qu'il y a une fleur écarlate au fond de ses prunelles. »

Alec vint se placer près d'elle. En effet, il y avait bien, dans les yeux de Black, cette lueur rouge vif qui s'y allumait quelquefois et qui, dans le passé, avait fait peur à bien des gens.

« Votre comparaison est jolie, Pam, dit Alec. Toutefois, en ce moment, il y a des choses plus importantes, au moins pour moi. Au fond, vous avez choisi un mauvais jour pour venir ici. Mais je suis injuste. Je vous ai incitée à venir. Et puis, il y a aussi cette course...

— Vous n'êtes pas responsable de ce qui est arrivé.

— Responsable ou non, n'empêche que je suis suspendu pour dix jours.

— Et, pendant ces dix jours, il vous est interdit de courir ?

— Exactement.

— Bah ! reprit Pam en riant, un peu de repos ne vous fera pas de mal. Vous avez l'air bien plus fatigué que Black. »

Alec changea de sujet :

« Ce matin, j'ai monté Sable Noir... devant Henry.

— Il lui a plu ?

— Beaucoup. Mais ce poulain marche mieux avec vous qu'avec moi. Il est habitué à vous.

— Henry Dailey sait que je suis ici ?

— Je lui ai dit que vous preniez un jour de congé pour assister à la course. Toutefois, il pense que vous ne viendrez pas jusqu'aux écuries.

— Tiens, pourquoi ? »

Alec haussa les épaules :

« Il doit croire que vous avez peur de lui.

— Complètement idiot. Je n'ai peur de personne.

— Il l'ignore. Vous avez vu Sable Noir ?

— Oui. Je me suis arrêtée ici en arrivant. Il ne semble pas s'ennuyer.

— Il est probablement moins heureux qu'au ranch. Mais il s'accoutumera.

— Il ne doit pas être insensible aux allées et venues qu'il y a dans les parages », dit Pam.

Par la porte restée ouverte, elle regarda les badauds rassemblés devant l'écurie de Mel Miller :

« Ils ont l'air de s'amuser !... Et celle-là, qui est-ce ? » ajouta-t-elle en montrant une silhouette mince, en bluejean, qui passait devant la porte, suivie d'un énorme chien.

« C'est Becky Moore, répondit Alec. La femme jockey qui montait Feu de Broussailles.

— Elle a un drôle de compagnon !

— Un animal plutôt méchant, paraît-il. Je n'ai jamais osé m'en approcher. C'est le garde du corps de Becky. Il dort près d'elle, toujours d'un œil.

— Elle ne semble pourtant pas avoir besoin d'être protégée !

— Il faut croire que si. Voilà plusieurs années qu'elle fréquente les hippodromes. Elle est toujours accompagnée de son chien.

— En somme, elle n'a confiance en personne.

— En personne. »

Pam et Alec quittèrent le box de Black et se dirigèrent vers la sellerie.

« Vraiment, vous voulez faire la connaissance d'Henry ? » demanda Alec.

Pam éclata franchement de rire :

« Pourquoi pas ? Vous savez, Alec, je suis assez dingue, moi, pour avoir confiance en tout le monde.

— Il n'est pas dans un bon jour, je vous préviens.

— Tant mieux ! »

Alec ouvrit la porte de la sellerie. Henry Dailey était assis, songeur, un journal sur les genoux.

« Henry, dit Alec en franchissant le seuil, permettez-moi de vous présenter Pam. »

# Chapitre 13

# Chacun sa vérité

Quand Pam entra dans la sellerie, Henry Dailey se leva par courtoisie. Mais ce fut sans la moindre politesse dans la voix comme dans le geste qu'il rappela à Alec :

« Je t'avais pourtant dit de ne pas l'amener ici. »

Alec répondit :

« J'espérais que vous changeriez d'avis lorsqu'elle serait devant vous. »

Et Pam murmura en se retenant pour ne pas rire :

« Ça commence bien ! »

Henry recula de quelques pas et s'adossa au mur. Les mains sur les hanches, la lèvre inférieure dédaigneuse, il toisa Pam, puis il l'examina de façon un peu plus détaillée, prenant son temps.

C'était bien ce qu'il avait imaginé. Avec ses traits fins, l'ovale presque parfait de son visage, ses longs cheveux blonds et ses yeux d'un bleu étincelant, Pam était plutôt jolie.

« De toute façon, dit-il d'un ton résigné, il est trop tard pour revenir en arrière. Je profite de ce

que vous êtes ici pour vous remercier. Vous nous avez rendu service, surtout avec Sable Noir. »

Pam répondit en souriant :

« Vous savez, c'est plus un plaisir qu'un service.

— Service ou non, ajouta Henry, je crains bien que nous ne puissions pas vous garder. J'ai trouvé quelqu'un, l'homme qu'il faut pour ce genre de travail. Il y a longtemps que j'essayais de l'avoir à notre service. »

Henry se tourna vers Alec et lui expliqua :

« Il s'agit de Mike Costello. Comme moi, tu l'as souvent entendu répéter qu'il ne prendrait sa retraite que lorsqu'il cesserait de gagner des courses. Or, cette saison, il n'a rien gagné ou presque. Il a donc décidé de dételer et de travailler pour nous. Au ranch, il va nous être très utile. »

Alec avait pâli sous son hâle.

« Non... non... balbutia-t-il. Pam, elle aussi, nous est nécessaire. »

Henry secoua la tête.

« Comme moi, tu sais que, pour les poulains, nous n'avons pas besoin de deux personnes. »

Alec demanda d'un ton agressif :

« Dans ce cas, pourquoi m'avez-vous dit que Pam pouvait rester ?

— Quand je t'ai dit ça, je ne savais pas que Mike allait être disponible. »

Henry réfléchit un instant. Puis, avec un accent moins rude, presque humain :

« Écoute, Alec. Je vais essayer d'arranger les choses. Je sais que tu as de l'amitié pour Pam. C'est bien le diable si je ne lui trouve pas, au ranch, une occupation quelconque. D'ailleurs... »

Mais Pam l'interrompit :

« Ne vous fatiguez pas, monsieur Dailey. Le moment est venu pour moi de partir. »

Alec fit un pas vers elle.

« Il n'est pas question que je vous laisse partir !

— C'est la seule façon de ramener le calme, Alec. M. Dailey a raison. Et puis, souvenez-vous. Quand je suis arrivée, je vous ai dit, me semble-t-il, que je prenais cet emploi à titre temporaire, jusqu'à ce que vous ayez trouvé un professionnel. Vous vous souvenez ?

— C'est possible, Pam. Mais la situation n'est plus la même ! »

Elle lui posa la main sur le bras.

« La situation n'est plus la même... Qu'est-ce que cela signifie, Alec ? Comme vous vous trompez ! En général, c'est le contraire qui se produit. Les choses changent si peu ! Cependant, il y a entre vous et moi une différence : nous ne vivons pas exactement dans le même monde. Vous avez le vôtre. J'ai le mien. Alors, soyez chic. Laissez-moi partir sans histoire. »

Henry la regardait avec étonnement. Il avait prévu une scène, une discussion plus ou moins animée. Et voilà que Pam acceptait de partir sans la moindre protestation, sans un signe de révolte. Quelques mots prononcés naguère par Alec lui revinrent : Pam était de ces jeunes qui errent par le vaste monde, à la poursuite d'un rêve merveilleux, mais irréalisable. Et il pensa : « Pourvu qu'Alec ne se soit pas laissé déjà contaminer ! Pourvu qu'il ne pense pas déjà comme elle ! »

Dans l'intérêt d'Alec comme dans le sien, il déclara :

« L'ennui avec votre monde, Pam, c'est qu'il promet une sorte de paradis sur la terre. Quelque chose

126

qui ne peut pas se réaliser. J'en suis désolé pour vous et pour vos semblables. »

Alec dit avec un accent irrité :

« Ça suffit, Henry ! Ces choses-là ne vous regardent pas. »

Pam se tourna vers le vieil entraîneur :

« D'une certaine façon, vous avez peut-être raison, monsieur Dailey. Mais ne vous arrive-t-il pas de rêver, vous aussi ? »

Henry eut un sourire accompagné d'un regard sans douceur :

« Si je rêvais, mes rêves ne tiendraient pas debout. Ils n'auraient aucun rapport avec la réalité.

— Où commence la réalité ? Où finit-elle ? Le savez-vous, monsieur Dailey ? »

Henry faillit perdre patience :

« Tout cela est ridicule ! La vérité, voulez-vous que je vous la dise ? Vous ne voulez pas, vous autres, vous plier à une discipline. Vous ne voulez pas être embrigadés, comme vous dites. Vous refusez une profession régulière, bref une vie normale. »

Sur ces mots, Henry retourna s'asseoir et reprit son journal, comme pour signifier que l'entretien était terminé. Mais Pam ne l'entendait pas ainsi. Elle avait même perdu tout sang-froid.

« Nous voulons la liberté, rien d'autre, et que, pour le reste, on nous fiche la paix ! »

Alec la prit par le bras et l'entraîna vers la porte.

« Venez, Pam. Je vous avais prévenue qu'il n'y avait rien à faire avec Henry. »

Le vieil entraîneur referma son journal.

« Un instant, vous deux. Il ne faut pas que notre discussion se termine aussi bêtement. Ce n'est pas comme ça qu'on s'explique, ni qu'on résout les problèmes. Je suis peut-être trop vieux pour vous comprendre, Pam. Mais je voudrais que nous soyons amis. Voulez-vous m'accepter tel que je suis ?

— Bien sûr, répondit-elle vivement. Si vous m'acceptez telle que je suis.

— Promis. En tout cas, je vais essayer. »

Alec se tenait près de la porte. Il avait envie de partir, mais ne pouvait s'y résigner. Une question l'obsédait : Henry ne se livrait-il pas à une sorte de jeu ? S'il réclamait l'amitié de Pam, ce ne pouvait être que pour une raison personnelle. Il n'agissait jamais que selon un code qu'il avait créé lui-même.

« Je vais être franc avec vous, Pam, reprit-il. Si vous n'étiez qu'une de ces filles très modernes, un peu trop romantiques pour mon goût, comme il y en a des milliers et des milliers aujourd'hui, vous n'auriez pas fait un si bon travail à notre ranch. Vous êtes autre chose. Vous êtes une cavalière, quelqu'un qui connaît les chevaux à fond. Si vous n'étiez pas cela, je crois bien que je ne m'apercevrais même pas de votre existence. »

Pam devint cramoisie.

« Vous croyez que je tiens à ce que vous vous aperceviez de mon existence ? »

Alec regarda Henry. Devant une telle insolence, comment le vieil entraîneur allait-il réagir ? Lui qui obtenait des êtres humains la même docilité que des animaux !

Contrairement à toute attente, Henry soupira et dit sans la moindre irritation :

« Très bien, Pam. Je me souviendrai qu'il ne faut pas vous traiter de cette façon. Donc, calmez-vous.

— Je suis très calme. »

Il réfléchit, puis ajouta :

« Si je vous demande de rester, ce n'est pas pour me quereller avec vous. J'ai un problème important. Peut-être pourriez-vous m'aider à le résoudre ?

— Vraiment ? » fit Pam sans cacher sa surprise.

Alec eut envie de s'approcher de Pam et de lui souffler à l'oreille : « Attention ! Il est trop gentil avec vous. Cela cache quelque chose. Méfiez-vous. Soyez prudente. Restez soigneusement sur vos gardes ! »

« En ce moment, reprit Henry, nous sommes à couteaux tirés, Alec et moi. Il viole des règles dont nous nous sommes inspirés depuis des années. »

Pam demanda à Alec :

« Vous avez entendu ?

— Oui, dit Alec, nous sommes à couteaux tirés. Mais je ne sais pas encore de quelles règles il s'agit. Lesquelles, Henry ?

— Après tout, il ne s'agit pas de règles, expliqua le vieil entraîneur. Mais simplement de quelques paroles prononcées tout à l'heure par Miller. Si j'ai bonne mémoire, il me semble qu'il a dit à peu près ceci : imaginez que la chance cesse brusquement de sourire à Alec, qu'il se mette à commettre de ces fautes apparemment insignifiantes qui vous font perdre course sur course. Je crois même qu'il a conclu : plus de victoires, plus d'argent !

— Je ne croyais pas que vous l'aviez entendu, fit Alec. Vous ne lui accordiez pas la moindre attention, pas plus qu'aux journalistes d'ailleurs.

— Je l'ai entendu. Et je suis d'accord avec lui. »

Alec sentit la sueur ruisseler sous sa chemise. Cependant, il essaya de prendre un ton léger pour constater :

« Voilà qui est curieux. Si on m'avait dit que vous seriez un jour d'accord avec Miller ! »

Tout de suite, il regretta d'avoir parlé de la sorte. « Allons-nous recommencer à nous quereller et, cette fois, devant Pam ?

— Ne sois pas sarcastique, répliqua Henry. Je voulais tout bonnement te rendre service. Si tu ne cours plus aussi bien qu'auparavant, c'est parce que tu as trop de choses en tête. »

Pam intervint :

« Alec a le droit d'agir et de penser à sa guise. Il n'y a aucune raison pour qu'il soit tel que vous le voudriez.

— Oh ! vous ! cria Henry. Vous voilà encore avec vos idées ridicules ! Moi, je travaille dans le concret. Je ne rêve pas. Je m'occupe de la façon dont Alec monte en course et rivalise avec des hommes qui, comme lui, veulent gagner ! »

Alec se rapprocha de Pam.

« Je trouve, Henry, que vous dramatisez un peu trop.

— Vraiment, je dramatise ? Alors, dis-moi à quoi tu pensais aujourd'hui quand Mario et Becky t'ont laissé en plan dès le démarrage. Où avais-tu la tête ?

— À rien de précis, répondit Alec. Mario et Becky se sont montrés plus rapides que Black et moi. Voilà tout.

— En tout cas, articula Henry, c'est ce départ manqué qui t'a fait perdre la course. Si tu étais sorti le premier de la stalle où tu rêvassais, il n'y aurait pas eu d'accident.

— Black a raté son départ, dit Pam. Vous ne pouvez pas en faire le reproche à Alec. »

Henry se tourna vers elle.

« Non, en effet. Je lui reproche seulement d'avoir occupé une mauvaise place, alors qu'il aurait pu faire autrement. Même une fille se serait mieux débrouillée que lui.

— N'importe quelle fille ? »

Henry se pencha sur Pam, la scruta au fond des yeux. De qui voulait-elle parler ? D'elle-même, bien sûr.

« Même vous, répondit-il.

— Erreur, monsieur Dailey. Il n'est pas question de moi. Vous semblez estimer que seuls les hommes sont de bons cavaliers, plus précisément de bons jockeys, et...

— C'est bien ce que je pense, interrompit Henry. Aucune femme ne devrait monter en course.

— Ridicule ! Pourquoi empêcher une femme de faire ce qu'elle veut ? Moi qui vous parle, j'ai participé à quelques courses, contre des hommes.

— Où cela ?

— Principalement en Virginie. Des courses dans les fêtes foraines ou en rase campagne. »

Henry ricana :

« Pam, nous ne sommes pas sur la même longueur d'onde. Ces courses auxquelles vous faites allusion n'ont rien de commun avec celles qui se disputent sur les hippodromes. »

Il s'arrêta, scruta de nouveau le visage de Pam, puis, s'adressant à Alec :

« Qu'est-ce que tu dirais si je lui donnais la possibilité de connaître par elle-même l'atmosphère des hippodromes ? Elle pourrait monter Sable Noir. Qu'est-ce que tu en penses ? Si je ne me trompe, ce poulain se montre plus docile avec elle qu'avec toi. »

Alec était si surpris qu'il resta bouche bée. Il se rendait compte qu'Henry n'avait qu'une idée : révéler à Pam ce monde des courses qu'elle avait sans doute trop tendance à idéaliser.

« Nous choisirions, continua Henry, une épreuve facile, ne rapportant que peu d'argent. Pam n'aurait rien d'autre à faire que ce qu'elle fait déjà au ranch. Une différence toutefois : elle ne serait plus seule, mais entourée de concurrents. Alors, Alec, ton avis ? »

Alec savait qu'il n'est pas de course vraiment facile, et il était inquiet pour la sécurité de Pam. En revanche, elle montait à la perfection et pouvait affronter n'importe qui. Et puis, si elle participait à cette course « facile », elle serait bien obligée de rester quelque temps encore...

« C'est à Pam de décider », répondit Alec.

Henry demanda :

« Alors, Pam ? »

Alec connaissait déjà la réponse. Certes, Pam n'avait jamais envisagé de faire une carrière de jockey. Mais comment aurait-elle pu résister au plaisir de monter Sable Noir, « son » poulain, dans la première épreuve où il serait engagé ? Et pourquoi se serait-elle privée de relever le défi que le vieil entraîneur lui lançait ?

« D'accord », répondit-elle.

# Chapitre 14

# Le prix du défi

Le mercredi après-midi de la semaine suivante, Pam conduisit Sable Noir au départ. C'était la première épreuve inscrite au programme et, pour l'un comme pour l'autre, la première course. Alec observait Pam avec des sentiments mêlés où dominait la crainte. Car, enfin, c'était l'heure de la vérité qui allait sonner. Mais il voulait garder Pam au ranch, et il espérait que le plaisir de monter Sable Noir sur les hippodromes serait pour elle un stimulant suffisant, une raison de ne pas obéir au démon qui la poussait à ne jamais s'arrêter nulle part.

Dès que Pam avait accepté de relever son défi, Henry n'avait pas perdu de temps. Le lendemain matin, elle commençait à entraîner Sable Noir. Henry s'était assuré les services de deux jockeys professionnels et d'un commissaire de piste. Puis, en compagnie d'Alec, il avait regardé Pam et les deux jockeys jaillir des boîtes de départ. Pour obtenir sa licence de jockey, Pam devait couvrir mille deux cents mètres. Elle avait parcouru cette distance en un très bon temps : une minute et quatorze secondes. En outre, elle battait l'un de ses rivaux de cinq longueurs et laissait l'autre très loin derrière elle.

Alec avait entendu le commissaire dire à Henry :

« Elle est douée. Elle se sert parfaitement de ses mains et de ses genoux. »

Henry avait été lui aussi impressionné par le résultat que Pam venait d'obtenir. Plus tard, à l'écurie, il avait demandé à Alec :

« Où a-t-elle pu apprendre à monter comme ça ? »

Alec avait alors énuméré tous les cavaliers auxquels elle devait cette connaissance approfondie de l'équitation. Mais Henry avait rétorqué :

« Ils lui ont sûrement appris beaucoup de choses. Mais elle possède des qualités innées. Et c'est cela surtout qui compte. Vraiment, j'aime sa façon de monter. »

Alec commençait à se poser des questions. Henry finirait-il par aimer Pam autant que sa façon de monter ? Il sautait aux yeux qu'elle était en train de faire sa conquête, par son entrain, sa bonne humeur. Par exemple, le lundi précédent, elle était retournée au ranch, pour entraîner les poulains, et elle avait rapporté un gros bouquet de fleurs sauvages qu'elle avait offert à Henry. Alec avait cru que celui-ci refuserait avec dureté un cadeau de ce genre. Aussi quelle surprise quand il avait constaté que le vieil entraîneur, après un bref étonnement, montrait de la satisfaction !

« C'est pour vous que je les ai cueillies », avait précisé Pam.

Maintenant, à l'aide de ses jumelles, Alec observait les chevaux. Il avait trouvé une place contre la barrière, près du poteau d'arrivée. Il voulait être à cet endroit quand la course se terminerait. Les chevaux étaient rassemblés loin de là, dans la descente — un peloton nombreux de poulains et de pouliches de deux ans. Aucun d'eux n'avait jamais gagné. Une course modeste (mille deux cents mètres) entre des concurrents sans éclat. Exactement le genre d'épreuves qu'Henry souhaitait pour les débuts de Sable Noir. Le poulain était certes sans expérience. Mais quelle classe quand on le comparait à ses rivaux !

« Si seulement elle se tient à l'écart des autres, murmura Alec pour lui-même, et si elle monte comme je le lui ai conseillé, elle gagnera sans difficulté. »

Par chance, Pam était placée à l'extérieur des douze chevaux qui formaient le peloton. Alec promena ses jumelles d'un jockey à l'autre. À n'en pas douter, tous les chevaux couvriraient la distance, mais seraient-ils convenablement guidés ? Chaque concurrent montait en professionnel, avec aisance et pleine confiance en lui-même. Becky Moore était présente, s'apprêtant à entamer l'une des trois épreuves auxquelles elle devait participer ce jour-là. Elle montrait autant de confiance que ses rivaux masculins.

Henry savait-il qu'elle prendrait le départ ? En tout cas, ce fait, très inhabituel, était apprécié de la foule, car il donnait du piquant à une course qui, sans cela, aurait sans doute paru banale. C'était en effet la première fois que, sur la piste d'Aqueduct, deux femmes jockeys s'affrontaient.

« Tenez-vous à l'écart, Pam, suppliait Alec dans son for intérieur. Tenez-vous à l'écart ! »

Il se demandait si elle se souviendrait de tous les conseils qu'il lui avait serinés les deux derniers jours. Elle l'avait écouté avec attention, mais ses yeux semblaient dire : « Racontez tout ce que vous voudrez. Le moment venu, je ferai les choses à ma façon. » Alec pensait qu'elle avait raison, le seul maître étant l'expérience.

Maintenant, il restait le regard fixé sur la casaque à carreaux blancs et noirs qu'elle portait — les couleurs du ranch de l'Espoir — et, dans un geste machinal de nervosité, il se passait toutes les dix ou vingt secondes le dos de la main sur ses lèvres sèches. Les dés étaient jetés. Il ne pouvait plus rien pour Pam... sinon lui parler tout haut, comme si elle pouvait l'entendre :

« Faites donc les choses à votre façon. Mais attention à l'accident ! »

Un tintement de cloche, et toutes les portes des stalles de départ s'ouvrirent comme des ressorts qui se déclenchent. Alec vit Pam détendre ses rênes, desserrer les genoux et lancer son poulain. Sable Noir fit un tel bond en avant qu'il se trouva tout de suite en tête du peloton.

Un moment, les autres chevaux le talonnèrent. Mais Sable Noir semblait résolu à ne pas se laisser rejoindre. Il galopait avec une souplesse et une rapidité stupéfiantes.

Alec criait :

« Vite, Pam, vite ! »

Dans la première ligne droite, Sable Noir resta à une longueur devant le peloton. Pam le maintenait à l'extérieur et ne faisait rien pour le rapprocher de la corde. En somme, elle se montrait prudente.

Au voisinage du tournant, elle manœuvra pour amener Sable Noir un peu plus vers l'intérieur. Progressivement, elle lui fit traverser la piste en biais. Mais les autres concurrents le rejoignirent. Sable Noir se sentit menacé d'être enfermé dans la masse compacte du peloton. Inquiet, il adopta un galop irrégulier, heurté.

Alec n'eut aucune peine à comprendre ce qui se passait : le poulain redoutait les cravaches des jockeys qui, déjà, le pressaient de tous côtés. Pam, elle aussi, semblait avoir compris pourquoi Sable Noir donnait des signes croissants de frayeur, et elle essayait de l'arracher à l'étreinte du peloton. Pour cela, elle se servait non seulement de ses mains, de ses genoux, de ses talons, mais de sa volonté, de son énergie, de sa confiance. Couchée sur l'encolure, elle parlait à Sable Noir. Alec imaginait qu'elle lui disait :

« Aucune cravache ne te touchera. Aucune ne te blessera. Surtout, ne ralentis pas. Fonce, fonce, fonce ! Et bientôt, nous serons dégagés ! »

Le poulain, courbant la tête, luttait pour ne pas se laisser dépasser, surtout par les chevaux placés à sa gauche. Un bai, portant des œillères d'un jaune vif, essaya de prendre la tête quand le peloton s'engagea dans le tournant. Un autre cheval galopait sur la même ligne que le bai. Tous deux cherchaient à brûler un troisième concurrent qui, longeant la corde, donnait des signes de fatigue et semblait sur le point de lâcher. Les trois jockeys faisaient un usage constant, violent, rythmé, de leurs cravaches. Et les chevaux, à chaque coup qu'ils recevaient, donnaient l'impression d'allonger un peu plus leur galop.

Pam s'efforçait de maintenir Sable Noir à l'écart de ces forcenés, même au risque de lui faire perdre un peu de terrain. Elle avait des réflexes rapides et prenait ses décisions dans un éclair. Certes, elle désirait gagner. Toutefois, la victoire paraissait moins importante à ses yeux que de ramener le poulain indemne à l'écurie — indemne certes de blessures physiques, mais aussi de ces terreurs dont les suites sont parfois graves. Sable Noir semblait moins effrayé qu'un moment auparavant, plus confiant en lui-même lorsque ses rivaux se rapprochaient dangereusement. Alec en fut rassuré. Pam n'avait plus qu'à le maintenir à la même allure et, autant que possible, à l'écart du menaçant trio qui, le long de la corde, déboulait sous les coups de cravache. Ensuite, après le tournant, elle forcerait de nouveau l'allure.

Les jockeys criaient, cravachaient, s'agitaient comme des diables sur leurs selles. Chacun d'eux était visiblement décidé, le tournant franchi, à prendre la tête dans la dernière ligne droite et à la garder jusqu'au poteau d'arrivée. Becky Moore était entre Pam et la corde. Elle se servait de sa cravache avec autant de brutalité que les hommes, et avec autant de constance. « Trop de constance », estima Alec. En effet, à chaque seconde ou presque, elle faisait passer sa cravache d'une main à l'autre et l'abattait sur la croupe de son cheval, soit à droite soit à gauche. Par ce moyen, bien qu'il donnât lui aussi des signes de fatigue, elle le contraignait à garder une allure soutenue.

Le cheval aux œillères jaunes réussit enfin une percée. Son jockey, le plus énergique, en tout cas le plus agité de tous, le poussait à devancer le concurrent qui galopait à son côté. Les deux chevaux, se frôlant à certains moments, se dirigeaient vers la corde, droit vers la monture de Becky.

Alec braquait sur eux ses jumelles. Becky était battue, elle aurait dû s'en apercevoir ! Elle continuait pourtant à utiliser sa cravache. Et elle eut raison ! En effet, après une terrible volée de coups, elle parvint à renouveler l'ardeur de son cheval. Celui-ci voulut atteindre la corde. Mais le passage lui était bloqué par les deux concurrents de tête. Alors, affolé, il changea de direction, obliqua vers Sable Noir !

Alec vit Pam essayer de se tenir à distance. Elle tira sur ses rênes. Immédiatement, Sable Noir se désunit, tandis que Becky enfonçait ses talons dans les flancs de son cheval et le cravachait de plus belle.

Pour la première fois depuis le début de cette course, Alec sentit le froid de la peur. Becky Moore était évidemment prête à tout pour empêcher son cheval de s'arrêter, pour le forcer à revenir entre les concurrents qui tenaient la tête du peloton.

Entendant soudain siffler la cravache de sa concurrente, Pam tira de nouveau sur les rênes, plus vigoureusement que la première fois.

Sable Noir fut-il atteint aux jambes par la cravache ? Alec n'aurait pu le jurer. Le poulain ne cédait peut-être qu'à la peur. Toujours est-il qu'en quelques bonds rapides, et malgré les efforts de Pam pour le retenir, il traversa la piste en biais, d'un galop désordonné, furieux. Alec aperçut la barrière extérieure et pensa que le poulain allait s'y précipiter. Et il ne put s'empêcher de crier à pleins poumons :

« Non ! Non ! »

Comme il l'avait prévu, Sable Noir heurta de plein fouet la barrière, et Pam fut catapultée dans les airs !

Mais Alec avait déjà sauté par-dessus la barrière et, sur la piste, il courait vers le tournant le plus éloigné où le peloton filait comme une flèche. Dès que la piste fut dégagée, l'ambulance quitta l'endroit où elle était postée. Alec lui fit signe de s'arrêter et grimpa sur le siège avant.

Un petit rassemblement s'était formé sur le lieu de l'accident. L'encolure tordue et cassée, Sable Noir gisait mort. Alec, le visage décomposé, s'agenouilla près de Pam. Il était aveuglé par la sueur et ne pouvait empêcher ses mains de trembler.

Pam avait les yeux ouverts, mais vitreux. Elle essaya de se dresser sur un coude. Il l'en empêcha :

« Non, ne bougez pas. Vous avez fait une mauvaise chute. »

Il s'écarta pour laisser le champ libre aux infirmiers. Ils la débarrassèrent de sa toque. Sur ses cheveux et son visage, il y avait des plaques de boue mêlées de sang. Mais elle était vivante ! Alec se tourna vers Sable Noir. À quoi bon cacher la vérité ?

Il se pencha sur Pam.

« Le poulain est mort », répéta-t-il, d'une voix que l'émotion étranglait.

Comme elle ne répondait pas, il prit peur :

« Courage, Pam. Il n'a pas souffert. Il ne s'est sûrement rendu compte de rien. »

Un instant encore, elle ne bougea pas. Puis, après avoir tâtonné un peu, elle prit l'une des mains d'Alec, la pressa dans la sienne.

« Vous n'avez pas besoin de m'expliquer, Alec, murmura-t-elle. Je sais comment les choses se sont passées. J'ai senti qu'il mourait... un peu comme si c'était moi. »

# Chapitre 15

# Plus prompt que le vent

Cette nuit-là, tandis que Pam dormait à l'hôpital de Jackson Heights, au voisinage de l'hippodrome, Alec transporta le corps de Sable Noir au ranch de l'Espoir. De bonne heure le lendemain matin, avec l'aide de quelques membres du personnel du ranch, il enterra le poulain dans un pâturage assez éloigné des bâtiments où il avait passé bien des heures en compagnie de Pam.

Alec s'efforça de ne pas faire trop de sentiment. À quoi bon ? Dans ce dur métier des courses, les hommes et les animaux prenaient chaque jour des risques graves. Et la mort ne hantait pas seulement les hippodromes, mais aussi les ranchs d'élevage, les pistes d'entraînement.

Pam avait survécu à son étrange accident. Elle ne souffrait que de quelques égratignures sur le visage. Pour le reste, la radio n'avait révélé ni lésion interne, ni fracture. Elle n'en devait pas moins rester en observation à l'hôpital jusqu'au lendemain. En somme, elle ne courait aucun danger. Il ne fallait penser qu'à cela et aussi oublier Sable Noir au plus vite. Alec, jockey professionnel, n'avait pas le droit de s'appesantir sur le passé, ni de céder à des attendrissements.

Pourtant lorsque les hommes qui l'avaient aidé s'en allèrent la bêche sur l'épaule, il s'attarda un moment près de la terre fraîchement retournée. Le soleil levant répandait à l'horizon une lumière cramoisie. Dans l'un des enclos, un cheval poussa un hennissement perçant, et la première brise de la journée apporta le parfum des fleurs sauvages.

Quand Alec s'éloigna enfin, le soleil enflammait le sommet des collines. Les oiseaux chantaient un hymne dédié... à qui ? À l'été ? À Sable Noir ?

*
* *

Le soleil déclinait quand Alec arriva à Aqueduct. Il ne comptait pas y trouver Pam, même si les médecins de l'hôpital lui avaient rendu la liberté. « Elle l'a échappé belle ! » songeait-il. Il estimait que Becky Moore était responsable de l'accident, ou plutôt, sans le vouloir vraiment, elle l'avait déclenché par sa façon brutale de monter et par sa volonté de battre des hommes à leur propre jeu, et par n'importe quel moyen. Les plaintes contre elle auraient dû pleuvoir. Mais Alec et Henry se moquaient maintenant du classement. Pour eux, la course s'était terminée bien avant le poteau d'arrivée.

Quand il se retrouva au voisinage des écuries, la première personne qu'Alec aperçut fut Pam ! Elle se dirigeait vers un robinet et balançait au bout de son bras un seau vide. En blue-jean et chaussures de sport aux talons éculés, elle marchait en tournant le dos à Alec. Elle aurait eu l'air de n'importe quelle fille sans ses remarquables cheveux blonds retenus sur la nuque par un ruban rouge.

Il la rattrapa en trois enjambées. Elle avait ouvert le robinet et regardait d'un air songeur l'eau tomber dans le seau. Malgré sa joie de la retrouver, Alec se contenta de dire :

« Bonjour. »

Elle se redressa vivement.

« Alec, c'est donc vous ?

— Déjà rétablie ?

— Oui. Enfin, ça va pour le mieux. On m'a libérée ce matin. »

Elle s'arrêta avant d'ajouter :

« Henry est venu me chercher. Il m'a demandé de remplacer Deb pendant quelques jours. C'est pourquoi vous me voyez ici. »

Alec l'accompagna au box de Black. Il n'était pas surpris qu'Henry eût demandé à Pam de rester. Le vieil entraîneur ne pouvait guère agir autrement. Il savait que le travail pouvait seul permettre à Pam d'oublier son accident et la perte de Sable Noir. Mais il était à la fois étonné et ravi que Pam eût accepté.

Black se tourna dans leur direction quand ils pénétrèrent dans le box. Puis, avec un petit hennissement joyeux, il s'approcha du seau que Pam venait de déposer devant lui et, au lieu de se désaltérer, il joua à souffler sur la surface de l'eau.

« J'ai transporté Sable Noir au ranch, dit Alec.

— Henry me l'a appris », répondit-elle.

Et elle sortit du box. Bien qu'elle eût à peine élevé la voix, Alec sentait combien elle était émue. Comme il devinait qu'elle désirait être plus amplement renseignée, il lui indiqua l'endroit où Sable Noir avait été enterré. Le regard au loin, elle écoutait en silence.

Puis, soudain, Black passa la tête par-dessus la demi-porte du box et frôla de ses naseaux l'une des épaules de Pam, comme s'il désirait lui témoigner son affection. Comment Alec aurait-il pu être jaloux ? La situation était simple. Pam, sans effort, naturellement, se faisait aimer des animaux. Il en avait été ainsi avec Sable Noir. Aujourd'hui, Black prenait la relève.

Tout à coup, elle rompit le silence.

« C'est un vrai malheur, Alec. J'aimais tant Sable Noir !

— Je sais, Pam, dit-il. C'est aussi la preuve qu'Henry a raison dans ses jugements sur les femmes jockeys. La plupart des femmes sont trop nerveuses, trop sensibles pour ce métier. Il n'est donc pas pour vous. »

Elle se rebiffa :

« Mais il est pour Becky Moore ! Selon vous, il faut qu'une femme jockey soit brutale, impitoyable. C'est bien là ce que vous insinuez ?

— Oui, Pam, exactement. »

Elle fit un brusque pas en arrière.

« Je voudrais vous croire, Alec. Mais cela m'est impossible. J'ai participé à une course. Je recommencerai. »

Alec était effrayé du changement qui, en moins d'une minute, s'était opéré dans le visage de Pam. La féminité y avait fait place à une énergie presque virile.

« Vous n'avez pas eu assez d'ennuis comme ça ? demanda-t-il. Ça ne vous suffit pas de savoir par expérience comment les choses se passent sur une piste ? »

Elle répliqua avec un sourire narquois :

« Et vous, Alec, n'avez-vous pas appris que, quand un cavalier tombe, il doit se hâter de remonter à cheval, même lorsqu'il a fait une mauvaise chute ? »

Alec la regarda longuement. Elle avait raison. Il fallait que, dans un délai aussi bref que possible, elle participe de nouveau à des courses. Lui-même s'était trouvé placé devant un problème semblable, après une chute presque aussi grave. Si elle ne remontait pas au plus tôt, elle garderait le souvenir de l'accident jusqu'à la fin de ses jours, et peut-être ne prendrait-elle plus jamais part à une course.

« Aidez-moi, Alec, reprit-elle. Je veux terminer ce que j'ai commencé.

— Comment ? Sans... Sable Noir ? »

Il aurait bien voulu ne plus faire allusion au poulain. C'était elle qui l'y contraignait.

« Comment ? répéta-t-elle. En m'autorisant à monter votre propre cheval. »

Il resta un instant bouche bée.

« Vous voulez dire Black ? Impossible, Pam. Ça ne marcherait pas.

— Pourquoi ?

— Pour plusieurs raisons.

— Soyez plus clair, Alec.

— Black n'a jamais été monté que par moi. Vous ne pourriez pas le dominer. »

Elle prit un ton presque suppliant.

« Laissez-moi essayer, Alec. Si je sens qu'il ne veut pas de moi, je n'insisterai pas. »

Alec garda le silence. Elle le scrutait, cherchait à

savoir ce qu'il avait vraiment derrière la tête. À la vérité, il souhaitait que Black ne fût monté que par lui-même. Tout autre cavalier risquait, sur un animal aussi puissant et aux réactions aussi imprévisibles, des dangers nombreux, peut-être mortels. Mais, par-dessus tout, Alec considérait que Black lui appartenait, était son bien.

« Je vous en prie, Alec, insista-t-elle, donnez-moi une chance. »

Dans la pénombre de l'écurie, il la voyait assez mal. Il constata néanmoins qu'elle le regardait la bouche légèrement entrouverte et que, comme si elle attendait un verdict, elle avait presque cessé de respirer. Alec soupira. Il ne se sentait pas le courage de lui opposer un refus.

« Si encore j'étais certain que vous vous en tirerez sans dommage, dit-il.

— Vous pouvez être tranquille, protesta-t-elle. Il ne m'arrivera rien. »

Il réfléchit une dernière fois avant de prendre sa décision. Pour monter Black en course, il fallait de la force, de la détermination, de l'habileté et du courage. Que manquait-il à Pam ? La force, mais sans doute compensée par une volonté de fer et par l'amour des courses...

« Attendez-moi ici, dit-il enfin. Il faut que je mette Henry au courant. »

*
* *

« Incroyable ! s'exclama Henry stupéfait. Comment peux-tu envisager de faire monter Black par une autre personne que toi ? Un jockey, passe encore. Mais une fille ! Oh ! je sais que tu l'aimes

147

bien. Il y a des limites à l'amitié, à l'affection. Appelle ça comme tu voudras. Non, décidément, tu ne peux pas faire une chose aussi folle que celle-là. »

Alec secoua la tête.

« Henry, vous n'avez pas compris. Je désire que Pam fasse un essai. Ensuite, nous déciderons si, oui ou non, elle est capable de monter Black en course.

— Il n'en est pas question, dit le vieil entraîneur avec un accent irrité. Tu n'es pas le seul propriétaire de Black. Il appartient au ranch, bref à la société que nous avons formée et que ton père dirige. Il m'appartient à moi aussi. Car, enfin, je crois bien que je m'en suis occupé autant que toi. Tu n'as pas le droit, en l'abandonnant à cette fille, de l'exposer à des risques graves.

— Mais, Henry, protesta Alec, vous n'y êtes pas du tout ! Ce n'est pas Black qui risquera quelque chose. C'est Pam. »

Au même moment, il l'aperçut. Longeant les écuries, elle se dirigeait vers eux. Pourtant, Alec lui avait demandé de l'attendre près du box de Black. Elle était très pâle, les yeux brillants, les lèvres décolorées.

Quand elle ne fut plus qu'à quelques pas, Henry se tourna vers elle. Il comprenait qu'elle désirât participer de nouveau à une course. Mais pourquoi tenait-elle tant à monter Black ? Certes, elle avait perdu Sable Noir dans des circonstances dramatiques où il avait une part de responsabilité. Il avait essayé de réparer sa faute. Cela ne signifiait pas cependant que Pam avait aujourd'hui le droit d'exiger de monter Black !

Le vieil entraîneur se retourna vers Alec.

« Tu n'es sûrement pas sérieux. Si tu renonces à monter Black toi-même, cherche-lui un très bon jockey, par exemple Peter Edge ou Willy Walsh. Mais qu'il ne soit plus question d'une fille. J'y suis résolument opposé. »

Alec ne répondit qu'après un silence qui parut interminable.

« Pam fera un essai, dit-il d'un ton décidé. Peu importe que Black appartienne à notre société. Il est mon cheval. Je veux qu'elle le monte. »

Devant cette manifestation d'indiscipline et ce défi à son autorité, Henry fit entendre un grognement, puis il se remit à la tâche à laquelle il était occupé quand Alec l'avait rejoint : le nettoyage d'une bride. Au bout d'une minute, il releva la tête et dit d'une voix égale, comme s'il avait retrouvé son calme :

« Dans l'Empire State Handicap, il y a cent mille dollars pour le gagnant...

— Je sais », répondit Alec.

Il savait aussi que le vieil entraîneur lorsqu'il parlait d'argent, était toujours poli et prêt, même, à faire des concessions.

« Et si Pam se montre capable de monter Black, reprit Alec, n'est-il pas raisonnable de l'utiliser pour essayer de les gagner, ces cent mille dollars ?

— Peut-être bien, dit Henry d'une voix mielleuse. Si elle peut le monter... Mais, dans le cas contraire, que se passera-t-il ? Accepteras-tu que Black soit monté soit par Willy Wash, soit par Peter Edge ? Accepteras-tu ? »

Alec ne répondit pas immédiatement. Henry attendit, puis, à bout de patience :

« Alors ? »

Alec savait que le vieil entraîneur avait deux mobiles : évincer Pam une fois pour toutes et faire monter Black par un jockey qu'il jugerait capable de gagner ce fameux handicap...

De nouveau, malgré son impatience, Henry attendit. Il se rendait parfaitement compte qu'Alec se trouvait devant un problème difficile à résoudre. Et il le regardait avec des yeux ronds et un air d'innocence qui semblait signifier : « À toi de décider. Moi, je m'en lave les mains. » Il imaginait qu'Alec, après réflexion, allait renoncer à son idée de faire monter Black par Pam. Car, si elle échouait, il serait obligé d'utiliser les services d'un jockey professionnel.

« Alors, Alec ? insista le vieil entraîneur.

— D'accord, répondit finalement Alec. Nous ferons comme vous voulez. Pam va monter Black. Nous verrons bien ce qui se produira. Si elle parvient à le dominer, elle le montera dans le handicap de samedi. Dans le cas contraire... »

Henry l'interrompit et, avec sécheresse :

« Dans le cas contraire, c'est moi qui choisirai le jockey. Et je le choisirai tout seul. C'est mon dernier mot. »

Il se tourna vers Pam qui se tenait à quelques pas depuis le début de cette scène, et il la toisa. Puis il prononça ces mots dont elle fut étonnée — et qui surprirent Alec :

« Vous pouvez faire votre essai aujourd'hui. Demain, il y aura sûrement du monde dans les parages. Donc, inutile d'attendre. Alec, va seller Black. »

Cinq minutes plus tard, Alec revint, tenant Black par la bride. Pam marchait près de l'étalon noir, et elle semblait incapable d'en détourner ses yeux, comme si elle pensait : « Voilà l'animal sur lequel on me demande pour la première fois de faire mes preuves ! »

Black allait d'un pas léger, dansant, l'encolure arrondie, la tête se balançant de droite et de gauche. Ses oreilles s'agitaient, ses naseaux respiraient avec force et, sur ses flancs, brillait déjà une pellicule de sueur.

Alec l'arrêta à courte distance d'une ouverture dans la barrière qui donnait accès à la piste. Il le caressa et lui demanda de rester tranquille. Pourtant, il savait que l'étalon noir obéissait moins aux paroles qu'on lui adressait qu'à ses instincts les plus profonds. Il avait sûrement compris que quelque chose d'exceptionnel se préparait. Sinon, pourquoi, à la fin d'un après-midi, l'avait-on sellé ? Pourquoi l'amenait-on au voisinage de ces tribunes vides, de cette piste déserte ? Sa respiration se faisait plus haletante et ses muscles se tendaient.

À la dérobée, Henry scrutait Pam. Il se demandait si elle donnerait un signe de frayeur. Mais peut-être allait-elle tout bonnement renoncer, maintenant que le moment était venu... « Elle ne doit pas peser plus lourd qu'une enfant, songeait-il. Comment parviendrait-elle à dominer un cheval de cette puissance ? » Il était persuadé que, finalement, elle se déroberait. Elle se rendrait compte que son projet de monter l'étalon noir, cette montagne de chair et de muscles, avait quelque chose de ridicule.

Alec maintenait Black à quelques mètres de Pam. Celui-ci était pour l'instant bien trop nerveux pour être monté. Cette nervosité n'était certes qu'un jeu, mais dangereux pour qui n'y était pas habitué.

En effet, Black simulait l'impatience et la rébellion. Il faisait semblant de vouloir se débarrasser de la bride. Il grattait le sol d'un sabot tremblant. Il se cabrait à demi ou bien il ruait. Sa crinière volait haut, ses yeux flamboyaient.

« Il se fait tard, dit Henry. Si nous voulons savoir à quoi nous en tenir aujourd'hui, il faudrait démarrer. »

Cependant, il ne bougeait pas, laissant à Alec le soin de choisir le moment où Pam pourrait se hisser en selle.

Pam s'approcha de l'étalon noir.

« Si vous êtes prêt, je le suis », dit-elle à Alec.

Il la regarda, surpris de la découvrir près de lui.

« Encore une minute », répondit-il.

Pam se mit à siffler, le même air qu'elle utilisait pour attirer l'attention de Sable Noir. Alec faillit la prier de s'arrêter. Puis il y renonça : « Laissons-la tranquille. Qu'elle agisse comme elle l'entend. Cette scène a d'ailleurs assez duré. Je suis inquiet et nerveux. Et je ne fais rien d'autre que de leur communiquer à tous deux ma nervosité. »

D'elle-même, Pam avait cessé de siffler. Mais, maintenant, elle parlait à Black d'une voix douce, étouffée. Et, sans cesse, pas à pas, elle se rapprochait de lui. Bientôt, elle serait à portée de ses antérieurs et de ses mâchoires.

Alec savait le danger. Mais il avait peur que le son de sa voix ne rendît Black encore plus nerveux. Il attendait. D'un seul coup de sabots ou de dents, Black pouvait infliger à Pam des blessures graves.

L'étalon noir reniflait bruyamment et ses yeux vacillaient. Il tendait la tête vers Pam, semblait inquiet et encore indécis. Il continuait à gratter le sol sur un rythme continu, impatient. Cependant, il demeurait au même endroit, sans avancer ni reculer.

Pendant quelques secondes, Pam lui caressa les naseaux. Puis, d'un mouvement aussi léger que l'envol d'un oiseau, elle sauta en selle.

« Maintenant, Alec, dit-elle, vous pouvez le lâcher. »

Black secoua la tête et essaya de se débarrasser de sa cavalière. Mais elle s'y attendait. Elle fut à peine déséquilibrée.

Henry comptait que le puissant cheval, sentant sur son dos une étrangère, multiplierait les efforts pour lui faire mordre la poussière. S'il y parvenait aujourd'hui, il recommencerait sans aucun doute le samedi suivant, pendant la course. Mais Black ne tenta plus de la désarçonner. Et Henry dut se contenter de l'observer. Il ne put s'empêcher de penser que, malgré son extrême jeunesse, elle avait fière allure, avec son expression calme, résolue, énergique. « Elle a réussi la première phase, se dit-il. Maintenant, voyons la suite. »

Black se mit en marche, d'un pas rapide, net, qu'il allongea dès qu'il eut franchi l'ouverture dans la barrière. Là-bas, à gauche de la piste, se dressaient les silhouettes colossales des tribunes désertes, monstres d'acier et de ciment. Bien que le silence fût total, Black commença de s'agiter comme s'il avait été grisé par l'habituelle rumeur et les cris de la foule.

« Doucement, doucement », dit Pam lorsqu'il partit au petit galop.

Elle s'efforçait de garder son sang-froid, mais cela ne lui était pas facile. Pourtant, elle savait qu'elle avait un rôle à jouer, qu'il fallait donner la meilleure idée d'elle-même, si elle voulait participer à la course du samedi. Henry et Alec l'observaient. Alec débordait sûrement d'indulgence, tandis qu'Henry ne pouvait être pour elle qu'un critique impitoyable.

Black était sans rival pour la force et la vitesse. Il voulait être libre de toute contrainte. Les muscles de son encolure se gonflaient et ses oreilles s'aplatissaient comme si elles étaient déjà rabattues par le vent de sa plus grande vitesse.

Il demandait à Pam de détendre un peu les rênes. Elle se pencha en avant et lui dit :

« Attends. Pas encore. »

Elle resta dans cette position et écouta les grincements des mâchoires de l'étalon noir contre l'acier du mors. Dans le tournant, elle se donna des conseils à elle-même : « Ne le tiens pas trop serré. Ne lui résiste pas. Voilà, c'est déjà mieux. »

Après le tournant, Black s'engagea dans la ligne droite. Pam, ainsi qu'Alec et Henry l'avaient souhaité, le tenait toujours. Jamais elle n'avait été aussi heureuse. Et quelle fierté pour elle de passer en trombe sur le dos de ce champion, devant des tribunes certes vides ! Mais qu'est-ce que cela pouvait faire ?

Quand elle eut laissé derrière elle le poteau d'arrivée, elle détendit enfin les rênes, abaissa son menton presque au niveau de ses genoux et ordonna :

« Maintenant, vas-y ! »

Black bondit en avant avec violence. Pam réussit à tenir, mais elle n'avait jamais rien éprouvé de semblable. Ce premier bond fut immédiatement suivi d'un deuxième, encore plus violent que le premier. Cette fois, Pam fut projetée sur l'encolure. Elle perdit l'équilibre et ne fut sauvée d'une chute que par ses étriers. Dès qu'elle eut retrouvé place sur la selle, elle raccourcit les rênes.

Mais elle n'était tout de même pas assez forte pour freiner Black. Son galop était devenu une sorte de vol. Son corps immense se tendait en l'air et, à chaque foulée, ses sabots frôlaient à peine le sol.

Pam commençait à perdre la tête. Elle détendit les rênes. Jamais la rapidité d'une monture ne lui avait procuré semblable ivresse. Elle appliqua son visage contre l'encolure. Elle avait l'impression de ne plus faire qu'un seul corps avec Black. Elle volait du même vol que le sien et elle était prête à se laisser emporter par lui n'importe où et aussi longtemps qu'il le voudrait.

Après le premier tournant, elle aperçut au loin Henry et Alec. Elle raccourcit ses rênes. Mécontent, Black secoua violemment la tête. Toutefois, il daigna ralentir un peu. Pam comprit que, malgré sa vitesse et sa force prodigieuse, il n'était pas l'un de ces monstres aux yeux fous qui prennent le mors aux dents et parcourent comme l'éclair, tête baissée, toute la longueur d'une piste. Black était capable de réagir intelligemment si son cavalier possédait assez de vigueur pour le gouverner.

Justement, à force de le retenir, elle commençait à avoir mal aux bras. Black dut s'en rendre compte. Il tira plus vigoureusement que jamais sur les rênes, les allongea de quelques millimètres, mais cela lui suffit pour allonger aussi son galop. Pour Pam, la barrière ne fut plus qu'un dessin brouillé. Puis le vent, en lui projetant la crinière au visage, l'aveugla, tandis que la souffrance engourdissait ses bras, à tel point qu'elle se demanda si elle n'allait pas bientôt lâcher les rênes. Et, penchée sur les oreilles couchées de l'étalon noir, elle le suppliait :

« Doucement, Black. Voyons, doucement... »

Elle sentit les rênes glisser un peu plus entre ses doigts. Black fonça de plus belle. Ses sabots produisaient sur le sol dur de la piste un véritable roulement de tonnerre. Tous les deux cents mètres, un poteau surgissait, grandissait, puis disparaissait dans un éclair. Quand elle passa devant Henry et Alec, Pam faillit ne pas les reconnaître, tant leurs silhouettes comme la barrière étaient brouillées.

Black se lança dans le tournant et, de nouveau, dans la ligne droite. Malgré la douleur qui menaçait de paralyser ses bras, Pam le conduisit presque au milieu de la piste. Elle n'avait aucun pouvoir sur sa vitesse, mais elle pouvait le diriger où elle voulait. Black était en quelque sorte un projectile qu'elle orientait à sa guise, vers telle ou telle cible.

Il parcourut la ligne droite sans ralentir et sans être stimulé — et pour cause ! — par les rugissements de la foule. Seul l'écho de ses sabots se répercutait dans les tribunes vides. Il brûla le poteau d'arrivée et continua à la même cadence infernale. Il ne galopait plus que pour son plaisir — un plaisir que Pam partageait entièrement.

Henry n'avait cessé de l'observer, et le spectacle auquel il venait d'assister lui coupait le souffle.

« Alors, lui demanda Alec, qu'est-ce que vous pensez de ça ? »

Pam ramenait Black vers eux.

« Je ne l'ai jamais vu galoper aussi vite, répondit le vieil entraîneur. Si tu es d'accord et si elle l'est...

— Je suis certain qu'elle l'est.

— Je le suis moi aussi.

— Peut-être commettons-nous une erreur, conclut Alec. Nous le saurons plus tard. »

# Chapitre 16

# Sombre samedi

Ce samedi-là eut, dès le matin, quelque chose d'irréel. L'atmosphère était sombre et humide lorsque, s'apprêtant à disputer l'Empire State Handicap, les jockeys et leurs chevaux se dirigèrent vers les stalles de départ. Dans le brouillard où ils se mouvaient, il était presque impossible de les identifier.

Henry se fraya un chemin à travers la foule qui, malgré une pluie assez drue, se pressait devant la tribune principale. Il aurait pu s'abriter dans la partie de la tribune réservée à la presse, comme il le faisait le plus souvent. Mais il sentait que, par un jour comme celui-là, il se devait d'être aussi près que possible de la piste. En outre, il désirait être seul. Or n'est-ce pas dans une foule animée, tourbillonnante, qu'on trouve le plus de solitude ? Il ne voulait pas assister à toute la course, mais seulement à sa fin. Pour quelle raison ? Avait-il peur ? Pour qui ? Pour Pam ? Pour lui-même ?

Les haut-parleurs crépitèrent et un speaker énuméra les chevaux et les jockeys. Le cœur battant,

Henry regarda le peloton virer au petit trot devant les tribunes. Il aperçut Black qu'Alec, monté sur Napoléon, tenait solidement par la bride. Pam assise sur l'étalon noir, les genoux au menton, paraissait minuscule.

Au paddock, Henry lui avait souhaité bonne chance avec l'accent de la sincérité. De la chance, il allait lui en falloir beaucoup avec cette piste collante et ce brouillard d'une épaisseur exceptionnelle.

Quand le speaker indiqua que Black était monté par Pam, un grand silence s'appesantit sur la foule. Puis des acclamations éclatèrent, mêlées à des cris d'animaux et à quelques commentaires, les uns désobligeants, les autres favorables, sur les femmes jockeys.

Henry scruta les personnes qui l'entouraient. Il lui sembla que beaucoup de physionomies montraient de l'inquiétude. Mais lui-même n'était-il pas responsable de la présence de Pam dans cette course ? N'aurait-il pas dû mettre Alec en garde, l'inciter à empêcher Pam de s'exposer de la sorte ?

Et soudain, il dut rassembler toute son énergie pour ne pas chanceler. Qu'avait-il fait ? Pourquoi avait-il rendu cette chose possible ? Bien sûr, Alec avait poussé à la roue. Mais lui, Heny Dailey, n'aurait pas dû céder. Il était le plus âgé, celui qui possédait la plus longue expérience...

Maintenant, il était trop tard. Il ne restait plus qu'à attendre. Pour Henry, le glissement des minutes allait être intolérable. Sans ménagements, il joua des coudes, fendit la foule pour atteindre la barrière. Il se gourmandait : « Je n'aurais pas dû permettre ça. Elle est si jeune ! Presque une enfant ! Et moi, je ne suis qu'un idiot... un vieil idiot. »

Devant Alec, les stalles automatiques se dessinaient comme une monstrueuse machine enveloppée de pluie. Soudain, bousculé par Black, Napoléon oscilla et faillit tomber. Alec le remit d'aplomb, puis se tourna vers Pam, pour voir comment elle avait supporté le choc. Droite sur la selle, elle ne regardait ni à droite ni à gauche. Ses yeux étaient fixés sur un point invisible, entre les oreilles pointées de Black.

Alec resta silencieux. Le temps du bavardage était passé. Les haut-parleurs annoncèrent :

« Les chevaux s'approchent du départ. »

En file indienne, ils passèrent derrière les stalles. Alec remarqua que Black marchait d'un pas sûr dans la boue de la piste. C'était lui qui, avant de quitter le paddock, avait pour la dernière fois, vérifié la bride, la selle, la sangle et le placement des sacs contenant les masses de plomb du handicap. Tout allait bien, tout avait été contrôlé.

La pluie luisait sur les casaques, les sabots projetaient de la boue de tous côtés. On aurait dit que le peloton dansait une sorte de ballet sous-marin et qu'il disparaîtrait complètement, au plus proche tournant, peu après le démarrage. Black commençait à tirer sur sa bride. Alec avait de plus en plus de mal à le tenir. Enfin, il l'orienta vers les portes ouvertes des boîtes de départ. Les tribunes se dressaient comme des montagnes dans un crépuscule pluvieux.

La piste était ovale. Le départ devait avoir lieu au milieu de la ligne droite d'arrivée. Distance à couvrir : deux mille mètres.

Un employé de l'hippodrome, qu'Alec connaissait bien, s'approcha. Ses bottes de caoutchouc produisaient dans la boue un bruit de succion. En lui tendant la bride de Black, Alec lui dit :

« Vas-y doucement avec lui, John. Il porte quelqu'un d'un peu... neuf dans le métier.

— Je sais, Alec, répondit le nommé John. Vous en faites pas. Tout ira pour le mieux. »

Alec regarda Pam. Il avait rempli son rôle. À elle, maintenant, de se débrouiller. Elle abaissa presque jusqu'à ses yeux la visière de sa toque sur son casque protecteur. C'était sans doute un geste instinctif, car, dans un moment pareil, comment aurait-elle pensé à l'accident qui avait failli lui coûter la vie le jour où elle montait le pauvre Sable Noir ? N'était-il pas trop tard aussi pour qu'elle imaginât les dangers auxquels elle allait être bientôt exposée ? D'ailleurs, elle n'était occupée que de Black. Pour le rassurer, elle le caressait, lui parlait, essayait de lui communiquer son calme. En effet, si ses sourcils étaient froncés et les traits de son visage crispés, il y avait, dans son attitude générale, beaucoup de souplesse et de décontraction.

« Mille fois bonne chance, Pam », dit Alec.

Elle ne répondit pas, mais elle essaya de sourire. Alec vit que les coins de sa bouche tremblaient.

*
* *

Le starter officiel se tenait sur sa plate-forme, en avant et à gauche des stalles automatiques. Il montra Black et ordonna à John :

« Ne faites pas entrer trop vite le numéro 5. Il n'y a pas urgence. Attendez les autres. »

Il estimait que, dans une course de cette importance, aucune faute ne devait être commise. Sinon, la réunion serait gâchée et tout le monde mécontent. Ce starter était un homme au visage sévère, mais à voix aimable et de caractère égal, ce qui lui avait été fort utile depuis cinquante ans qu'il exerçait cette profession. Son rôle d'ailleurs était bref. Dès que les chevaux étaient sortis des boîtes, il n'avait plus rien à faire. Aujourd'hui, il devait cependant redoubler de vigilance et d'autorité, car il s'agissait de l'Empire State Handicap, cent mille dollars au gagnant et quelque quatre-vingt mille spectateurs entassés dans les tribunes et le long des barrières.

Il jeta un coup d'œil à la femme jockey qui montait le numéro 5. C'était la première fois qu'Alec Ramsay, suspendu pour dix jours, avait dû céder sa place. Et à une femme par-dessus le marché ! « Voilà, pensa le starter, qui ne va pas faciliter ma tâche. »

Il disposait d'une équipe de huit employés. Chacun d'eux devait s'occuper de l'un des chevaux prenant part à la course. Le starter tenait un registre spécial sur lequel il notait les particularités de tous les concurrents, depuis des années et des années. Il disposait ainsi d'une liste de deux mille chevaux. Il consulta son programme personnel sur lequel il avait reporté, d'après cette liste, les particularités et défauts des animaux formant le peloton. Non, ce jour-là, rien de spécial, du moins pour l'entrée et la sortie des stalles.

« C'est le moment, dit-il à son équipe. Woody, faites entrer le cheval de la boîte n° 1. Tenez-lui la tête haute. Il a tendance à la baisser. Très bien. Maintenant, allez-y. Parfait. »

Le concurrent qui venait d'entrer dans la stalle n° 1 s'appelait Légende Nocturne. Le suivant n'était autre que Danseur Solaire.

« George, reprit le starter, vous n'aurez pas d'ennuis avec le numéro 2 si vous le conduisez sans le regarder. Oui, comme ça. Entrez le premier dans la stalle. Vous voyez, ça va tout seul. »

Il y avait une autre femme jockey : Becky Moore. Le starter n'avait pas oublié ce qui s'était produit quand Becky et Pam avaient participé à la même course. Mais de quoi se mêlait-il ? Son travail à lui était de veiller à ce qui se passait avant le départ, non à ce qui se passait après.

« Au suivant ! »

Le numéro 3. Un cheval qui pouvait être dangereux si on ne prenait pas avec lui toutes précautions. Ce cheval s'appelait Simplet, sans doute par antiphrase, car il était capricieux et rusé.

« Sid, dit le starter à l'employé qui tenait Simplet, n'oubliez pas que ce cheval n'est pas comme les autres. Il n'accepte d'entrer qu'à reculons. Fermez d'abord la porte arrière. Ensuite, vous contournerez les stalles et vous ouvrirez la porte avant. Le reste ira tout seul. Vous verrez. »

En effet, Simplet entra sans trop de difficulté à reculons dans sa boîte, dont Sid s'empressa de refermer la porte.

Avec Challenger, le numéro 4, les choses se passèrent encore plus simplement qu'avec Simplet.

Mais déjà le starter avait les yeux fixés sur Black, numéro 5, le grand crack.

« John, conseilla le starter, allez-y doucement, le plus doucement possible. Ne lui imposez aucune contrainte. Ne vous placez pas devant lui, mais à son côté et à un ou deux mètres. Tenez la bride légèrement. Surtout, ne tirez pas ! Quant à vous, Alec... »

Il se reprit :

« Oh ! pardon. »

Et comme il avait oublié le nom de la femme jockey qui montait Black, il le chercha sur son programme. Quand il releva la tête, Black était dans sa stalle automatique. Penchée sur lui, Pam lui parlait. Le starter pensa : « Après tout, elle s'en tirera peut-être le mieux du monde. Mais monter un cheval comme celui-là ! Elle a du cran. » Et il appela le cheval suivant : Ferrailleur, numéro 6, un animal d'apparence apathique, qui semblait somnoler.

« Cliff, dit-il, secouez-moi un peu ce Ferrailleur. Il dort debout, ma parole ! Réveillez-le, réveillez-le ! »

Cliff fut si énergique que Ferrailleur retrouva une lucidité suffisante et pénétra bien tranquillement dans sa boîte. Pharaon, le numéro 7, montra la même docilité. Il ne restait plus que Brave Teddy, numéro 8.

D'un regard, le starter s'assura que la porte avant de la stalle était ouverte. Brave Teddy était bien connu pour son obstination à refuser d'entrer dans un compartiment dont la porte avant était fermée.

« Bill, dit le starter, tenez-le par l'oreille pour que son attention reste éveillée tandis que vous le faites entrer. Voilà, c'est très bien. Vous voyez, le moyen est excellent. Maintenant, fermez les deux portes... Eh bien, je crois que nous sommes tous prêts. »

Il examina les stalles l'une après l'autre, une dernière fois. Un bon peloton, en somme. Quelques problèmes, bien sûr, mais rien d'exceptionnel.

Cependant, une course de cette importance déclenchait fatalement chez les jockeys une nervosité qu'ils communiquaient à leurs montures.

Après avoir examiné les stalles, il examina les jockeys. Tous avaient le visage luisant de pluie. Ils avaient chaussé à fond les étriers et, solidement assis sur leurs selles, ils semblaient prêts à démarrer. Bien que jeune, Willy Watts possédait une expérience déjà longue. Il paraissait aussi nerveux que sa voisine Becky Moore dont le cheval, Danseur Solaire, commençait à s'agiter. Sam Dillon fronçait les sourcils. Ce vétéran avait remporté des milliers de victoires. On le considérait comme l'un des meilleurs jockeys de tous les temps. Tommy Ryan, vainqueur du Kentucky Derby cette année-là, avait beaucoup de mal à tenir Brave Teddy. Celui-ci piaffait, s'agitait, montrait une ardeur qui ne lui était guère habituelle.

« Bill, dit le starter, donnez donc un coup de main à Tommy Ryan. Il a des ennuis avec son cheval. Passez par-dessus le bat-flanc et tâchez de le calmer. Sinon, nous ne nous en tirerons jamais. »

Il savait que le temps passait, qu'il ne restait plus que quelques minutes. Il fixait sur le cheval numéro 8 un regard inquiet et, en même temps, il évoquait d'autres courses aussi importantes que celle qui allait commencer et dont le démarrage avait été désastreux. « Il ne faut pas que ça se renouvelle, se répétait-il. J'attendrai aussi longtemps qu'il le faudra. Mais ça ne se renouvellera pas. »

Malgré les efforts de l'employé Bill et du jockey Tommy Ryan, Brave Teddy continuait à s'agiter, à ruer, à se cabrer. Soudain, il plongea en avant, ouvrit la porte d'une poussée et s'élança sur la piste. Heureusement, il avait été vu par un surveillant monté. Celui-ci lui coupa la route et le contraignit à faire demi-tour. Mais des minutes allaient encore être perdues avant que le fuyard fût de retour dans sa stalle.

Les autres concurrents ne bougeaient pas, comme s'ils avaient compris que le moment du démarrage n'était pas venu. Aussi calmes que des vaches alignées dans une étable, ils attendaient patiemment que Brave Teddy les eût rejoints.

Mais, dès qu'il eut réintégré sa boîte, Brave Teddy recommença de plus belle à se cabrer, à ruer, à se débattre contre Bill et contre son jockey. À un moment donné, il tenta même d'écraser Tommy Ryan contre l'une des cloisons. Le jockey donna des signes de frayeur. Il avait pour cela de bonnes raisons : l'année précédente, à l'hippodrome de Belmont, un accident — une fracture de la jambe — l'avait immobilisé pendant dix mois.

Enfin, avec l'aide de plusieurs autres employés, Brave Teddy fut maîtrisé et resta immobile dans sa stalle. Le starter posa un doigt sur le bouton qui déclenchait l'ouverture des portes. Il attendait encore quelques secondes, pour permettre à Brave Teddy de se calmer complètement.

Les chevaux sentaient que le démarrage était proche. Danseur Solaire battait l'air avec l'un de ses antérieurs. Challenger s'agitait, mais sans violence. Black piaffait. Le starter gardait les yeux fixés sur lui. Il n'ignorait pas que Black, au premier tintement de la cloche, devenait parfois très turbulent. En outre, ce jour-là, l'étalon noir était monté par une femme jockey. Savait-elle au moins ce qu'il fallait faire pour le maîtriser ?

« Écoutez-moi tous, dit le starter. Je ne donnerai le signal que lorsque personne ne bougera plus. Je ne suis pas pressé. J'attendrai le temps qu'il faudra. »

Et, tandis qu'il parlait, son index jouait avec le bouton, prêt à l'enfoncer.

# Chapitre 17

# Un combat
# sans merci

Alec confia Napoléon à Deb et courut à travers la foule qui, partout, encombrait les tribunes. Il voulait voir l'ovale de la piste tout entier, afin de ne pas manquer, ce jour-là, une seule foulée de Black. Où allait-il se poster ? Il lui fallait se décider au plus vite. Le temps pressait.

Les tribunes, du haut en bas, étaient noires de monde, du même noir que le ciel et la pluie. Seule la piste était claire, comme le ruban d'une route encore déserte, mais qui, dans un instant... Au-dessus des bâtiments quelques mouettes décrivaient des courbes en échangeant des signaux. Par la faute du brouillard, Alec les apercevait à peine, mais il entendait leurs cris mélancoliques. Il se sentait isolé, et il avait la gorge serrée quand il songeait aux dangers qui menaçaient Pam.

Il vit Henry près de la ligne d'arrivée. Il aurait pu le rejoindre, mais il y renonça, n'en ayant aucune envie, particulièrement en cette circonstance. Il renonça aussi à s'installer dans le local réservé aux journalistes, au dernier étage de la tribune principale. Il désirait assister à la course sans être gêné par des commentaires plus ou moins passionnés.

Avec inquiétude, il se retourna vers les stalles automatiques. Brave Teddy donnait toujours autant de soucis à son jockey et aux employés qui s'efforçaient de le calmer. Alec disposait ainsi d'un délai supplémentaire. Il ne lui en fallait pas moins se décider au plus vite.

Les haut-parleurs grésillèrent, puis une voix harmonieuse, bien travaillée, celle d'un célèbre speaker, annonça :

« Le départ va être donné. »

Alec leva les yeux dans la direction d'où venait la voix et son regard s'arrêta sur la cabine du speaker, isolée sur le toit même de la tribune principale. « C'est là que je vais aller, se dit-il. J'y serai bien accueilli, pourvu que je garde le silence. Dans cette cabine, on travaille, on commente, on annonce, sans déclamation, sans chiqué, sans partialité. On est précis, objectif, du début à la fin. »

Il se dirigea à grandes enjambées vers la tribune principale, en courbant les épaules sous la pluie et en écartant les spectateurs qui se jetaient sur son chemin. Il s'engagea dans un souterrain et courut jusqu'à l'extrémité d'un couloir. Là, il appela l'ascenseur qui devait l'emporter au sommet de la tribune. Il savait qu'il ne disposait plus que de quelques secondes. Dès que l'ascenseur fut devant lui, il s'y engouffra. La montée lui sembla d'une longueur désespérante. L'image de Pam lui apparut. « Folle, folle ! se répétait-il. Que fait-elle dans cette course où elle va affronter des professionnels ? Si je m'y étais opposé, elle n'aurait jamais voulu m'entendre. Elle m'aurait envoyé promener. Elle est d'un entêtement extraordinaire. Elle ne fera jamais que ce qui lui plaît. Elle veut aller au-devant de toutes les aventures que lui offre la vie... »

Devant la porte de la cabine, il frappa — par principe — puis entra. À l'intérieur, il n'y avait qu'une seule personne qui se tenait devant une baie : un homme grassouillet, de petite taille — le plus populaire speaker de l'époque. Il tourna vers Alec des yeux bruns, très vifs sous d'épais sourcils. Il lui montra des jumelles posées sur une table et reprit en hâte sa faction devant la baie.

La course n'était pas encore commencée. Alec était donc assuré d'y assister du début à la fin. Il prit sur la table les jumelles et s'approcha à son tour de la baie. La pluie noyait littéralement la piste. La ligne droite était à peine visible. Le speaker allait avoir bien du mal à faire son métier !

Il portait, autour du cou, une sorte de collier auquel étaient accrochés cinq micros. Il éleva jusqu'à ses yeux ses jumelles personnelles, se planta fermement sur ses pieds, et se hissa sur les orteils, comme s'il allait s'élancer en même temps que les chevaux. Et, une seconde plus tard, d'une voix précise, haut perchée, il annonça :

« Ils sont partis ! »

Alec vit les concurrents jaillir des stalles automatiques. Simplet et Légende Nocturne prirent tout de suite la tête, sans problème. Danseur Solaire fut bousculé par Challenger qui, déséquilibré, frôla la barrière. Ferrailleur fonça vers le milieu de la piste, entraînant Black dans son sillage. Pharaon glissa et perdit le bénéfice de son premier effort. Brave Teddy, si remuant jusque-là, se montra d'abord assez mou. Puis il se réveilla. Il obliqua résolument vers la corde, sans laisser à son jockey le temps de le placer sur la piste dans une position favorable.

Black galopait avec aisance, sans paraître gêné par Ferrailleur. Alec le savait capable de soutenir n'importe quel train. Dans son for intérieur, il supplia Pam de pousser l'étalon noir, d'obtenir qu'il sortît de cette dangereuse mêlée de jockeys et de chevaux aux sabots ferrés d'acier. Brave Teddy pataugeait dans la boue. Ferrailleur et Pharaon trébuchaient, avaient de la peine à garder leur équilibre. Black, heurté par Ferrailleur, oscilla. Heureusement, Pam parvint à le redresser, en rétablissant son propre équilibre. Mais ils avaient perdu un peu de terrain. À quelques longueurs de là, Simplet, faussant compagnie à Légende Nocturne, venait de prendre la tête du peloton.

Quand les chevaux passèrent en trombe devant la cabine, le speaker fit sa première annonce :

« Simplet est à une tête de Légende Nocturne. Danseur Solaire occupe la troisième place. Ferrailleur est quatrième, Black cinquième, Challenger sixième, Brave Teddy septième et Pharaon ferme la marche. »

Par la suite, le speaker fit, à intervalles réguliers, d'autres annonces agrémentées de commentaires. Il n'avait que de rares hésitations, dues au fait que toques et casaques, couvertes de boue, devenaient de plus en plus difficiles à identifier.

Alec se rapprocha encore de la baie. Il savait que la cadence imposée par Simplet et Légende Nocturne était déjà moins rapide. Pam se rendait-elle compte que les jockeys étaient des vétérans qui formaient équipe et qui, fort habilement, d'un commun accord, raccourcissaient les foulées de leurs montures ? C'était un vieux truc. Appliqué avec discrétion, il portait toujours ses fruits. La preuve est que personne ne s'aperçut que l'allure avait un peu ralenti, et cela jusqu'au premier tournant. Mais Pam n'aurait-elle pas dû comprendre que Black, à la façon dont il se débattait, souffrait d'être retenu ?

Légende Nocturne et Simplet pouvaient aisément couvrir toute la distance si la course se déroulait avec une certaine lenteur. Celui que cette lenteur affectait le plus était Danseur Solaire. Ce cheval en forme et peu chargé par les handicapeurs, Becky Moore l'avait bien placé à la corde. Il serait difficile à battre s'il gardait des ressources jusqu'au moment où Black commencerait à être gêné par le poids des sacs de plomb placés sous sa selle.

Le peloton, en une formation assez dense, sauf les deux leaders, s'engagea dans le tournant. Plusieurs chevaux, stimulés avec trop d'énergie, glissèrent, faillirent tomber. Si Pam semblait ne s'apercevoir de rien, les autres jockeys venaient apparemment de découvrir que l'allure était trop lente. Alec chercha Black du regard. L'étalon noir savait d'ores et déjà, lui, que la course se déroulait dans des conditions anormales, en ce qui concernait la vitesse. Et il essayait d'échapper à l'autorité de Pam. Il commençait à la contraindre à détendre les rênes et, centimètre après centimètre, il se rapprochait, sans souci du péril, de la croupe de Challenger, le concurrent qui le précédait.

Il y eut entre Pam et Black un bref combat. Enfin, elle parvint à raccourcir de nouveau ses rênes et à l'empêcher de bousculer Challenger. À l'ultime seconde, il obliqua avec violence, au risque de désarçonner sa cavalière, gagna le milieu de la piste et y prit la place de Danseur Solaire, lequel dévalait maintenant le long de la corde à une vitesse qui devait couper le souffle des spectateurs.

Black baissa la tête et se débattit de nouveau pour inviter Pam à le lâcher. Il voulait galoper à sa guise, sans contrôle, sans frein. Alec n'avait aucune peine à imaginer ce que Pam éprouvait. Elle devait avoir l'impression que les rênes allaient lui arracher les bras !

La voix du speaker s'éleva :

« Simplet est toujours en tête d'une longueur. Légende Nocturne est deuxième, directement devant Danseur Solaire qui, lui, est à la corde. Challenger et Ferrailleur vont côte à côte à l'extérieur. Black est sixième, Brave Teddy septième, Pharaon hui-tième. »

Alec écouta l'annonce jusqu'au bout. Mais son regard restait fixé sur Pam et Black. Il se disait que, s'il avait été à la place de Pam, il aurait passé lui aussi un mauvais quart d'heure. Les chevaux, comme les hommes, sont d'humeur changeante. Or, Black n'avait jamais été d'humeur plus détestable que ce jour-là. Il refusait de patienter, de se laisser conduire là où Pam estimait qu'il serait le mieux placé pour battre ses adversaires. Il courait comme jadis, quand il n'était encore qu'un cheval à demi sauvage. Par sa faute, Alec, en ce temps-là, avait souvent risqué la mort. Comme Pam aujourd'hui...

Black voulut revenir vers Challenger. Pam dut lui scier la bouche pour l'en empêcher. Mais, cette fois, il se trouva juste derrière Légende Nocturne, qui se trouvait lui-même derrière Danseur Solaire et Sim-plet. Sur sa droite, les autres concurrents semblaient lui refuser le passage. Alors, avec la même violence, il chercha de nouveau à réduire la tension des rênes. Alec se rendit à l'évidence : Pam n'allait bientôt plus pouvoir le maîtriser.

Au milieu du tournant, Black galopait côte à côte avec Challenger. Il était comme enfermé dans un piège. Ralentir, puis contourner le peloton : aucune autre solution. Mais brusquement à l'instant où il amorçait cette manœuvre, il alla droit sur Légende Nocturne.

Le speaker essuyait ses mains moites avec des serviettes de papier. Il ne distinguait plus les concurrents. Ceux-ci ne formaient sur la piste qu'une sorte de serpent qui se mouvait, par le fait de la distance, avec une fausse lenteur. Mais impossible d'identifier les jockeys. Leurs toques et leur casaques étaient devenues de la même couleur brune, celle de la boue. Le speaker aurait pu inventer n'importe quoi. Cependant, il détestait ce procédé malhonnête. Il garda le silence.

Alec vit Pam essayer d'éviter une collision avec Légende Nocturne. Mais, en tirant sur les rênes, elle ne parvint qu'à accroître l'impatience fiévreuse de Black. Il tordit sa tête et son corps tout entier, afin de se libérer des rênes, du mors et des mains de sa cavalière. Pam réussit, par miracle, à rester en selle. Black plongea en avant. Elle fut projetée sur l'encolure et se cramponna à la crinière.

Alec ne la perdait pas une seconde du regard. Bouleversé par ce qu'il voyait, il dut s'appuyer à la vitre pour dominer son émotion. Au bout de quelques secondes, Pam lâcha la crinière, se redressa et reprit place sur la selle. Mais, maintenant, Black échappait complètement à son autorité. Que ferait-il bientôt dans la ligne droite et qu'adviendrait-il de Pam s'il se livrait à des excentricités ?

Dès qu'il aborda la ligne droite, il alla de plus en plus vite. Et il n'y avait plus personne pour le freiner ! Il était libre. L'encolure tendue, les oreilles plaquées contre son crâne, il fonçait à la poursuite des autres concurrents. Pam n'était plus sur son dos qu'une simple passagère.

Toujours en tête, Simplet peinait, commençait à faiblir. Brutalement, son jockey le frappa avec sa cravache. L'effet fut le contraire de celui qu'il escomptait : un coup de frein. Simplet s'arrêta si court que ses sabots faillirent s'enfoncer dans la boue. Profitant de l'aubaine, Becky Moore le contourna avec adresse, sans même le frôler, stimula des talons et des mains son cheval Danseur Solaire et prit la tête. Black rattrapa le peloton. Alec se demanda avec frayeur ce qui se produirait quand l'étalon noir s'enfoncerait dans cette masse de muscles en mouvement qui lui barrait la route. Il observa Pam. Ne pouvant songer à arrêter Black, elle essayait au moins de le guider. Peine perdue. Dans son furieux galop, il lui aurait arraché les bras.

Au passage, il accrocha l'un des sabots de Légende Nocturne et faillit tomber. Mais, promptement, il se redressa et se glissa dans une étroite ouverture entre Challenger et Ferrailleur.

Alec, changé en statue, se disait qu'un seul faux pas ferait rouler l'étalon noir et sa cavalière entre les jambes du peloton. Cependant, tout à coup, il se rendit compte que Black, ayant réussi à frayer son chemin, venait de reparaître de l'autre côté du peloton, qu'il galopait toujours à la même allure et qu'il n'y avait plus devant lui qu'un seul concurrent : Danseur Solaire.

Le speaker s'emplit les poumons et annonça d'une voix plus forte que précédemment :

« C'est maintenant Danseur Solaire qui est en tête à une longueur de Black. Ferrailleur est troisième, Brave Teddy quatrième, Challenger cinquième, Pharaon sixième, Légende Nocturne septième. Simplet est le dernier. »

Alec déplaça ses jumelles et les arrêta sur Danseur Solaire. Il vit Becky Moore se retourner, jeter un coup d'œil à Pam, puis lever sa cravache. Danseur Solaire n'était pas un cheval usé par des courses trop fréquentes. Grâce à la cravache de Becky, il ne ralentit pas dans le dernier tournant. Quant à Black, l'ayant pris trop au large, il perdit un peu de terrain par rapport à Danseur Solaire qui, lui, n'avait cessé de longer la corde.

Puis ce fut la ligne droite, et la tribune principale où, du haut en bas, grouillait la foule des spectateurs. Pam demeurait immobile et détendue sur sa selle, tandis que Becky Moore se servait de ses talons et de sa cravache, bref s'agitait comme si sa vie entière dépendait du résultat de cette course.

Alec avait l'impression de ne plus faire qu'un avec Pam, de partager ses moindres émotions, toutes ses inquiétudes. Et il se rendait compte que Black était de plus en plus gêné par le plomb que lui faisait porter son handicap. Visiblement, son ardeur et sa vitesse diminuaient.

En revanche, stimulé par Becky Moore avec une énergie implacable, Danseur Solaire se surpassait. Il allongeait si bien son galop qu'on le devinait capable de rivaliser jusqu'au bout avec Black.

Becky voulait gagner. Pour vaincre le grand crack, il lui suffisait de maintenir, pendant un moment encore, son propre cheval à cette cadence. Et elle y parvenait ! Danseur Solaire montrait une bonne volonté extraordinaire. Il fournissait un effort sans proportions avec ses moyens. Un effort qui le laisserait fourbu, vidé. Mais, si elle arrachait la victoire, qu'importait à Becky que son cheval fût désormais inutilisable ?

Toujours est-il que Danseur Solaire restait en tête, aux acclamations répétées de la foule que ce duel passionnait. Et il ne restait plus que deux cents mètres à parcourir. À un rythme régulier, Becky cravachait son cheval. Celui-ci réagissait en forçant toujours l'allure.

Alec martelait de ses poings l'encadrement de la baie. Il avait les mâchoires crispées, la gorge serrée. Il ne quittait pas une seconde des yeux la ligne mouvante des concurrents qui se dirigeaient vers lui. Danseur Solaire continuait à mener le train, sous une grêle ininterrompue de coups de cravache. On exigeait de lui bien plus qu'il ne pouvait donner. Tiendrait-il jusqu'au bout ?

Bientôt, les derniers mètres... Ils donneraient sûrement à Pam l'occasion d'évoquer Sable Noir, ce poulain qui, dans une autre épreuve, n'aurait pas été tué si les concurrents ne s'étaient livré un combat sans merci... Pam allait probablement battre Becky Moore, mais selon sa morale et selon la seule méthode qu'elle connût : faire corps avec la monture et lui demander qu'elle donnât tout ce qu'elle pouvait donner, sans exiger, sans jamais menacer.

Alec vit Pam, à une distance maintenant très courte de la ligne d'arrivée, se déplacer sur sa selle, comme si, par ce moyen, elle espérait soulager Black. En effet, il fila soudain encore plus vite. Stupéfait, Alec poussa un cri qui fut reproduit par les cinq micros du speaker, mais se perdit dans les rafales d'applaudissements qui faisaient trembler les tribunes.

Black remonta Danseur Solaire en quelques foulées magnifiques. Le vaincu ralentit, perdit de plus en plus de terrain, malgré la cravache de Becky.

Brusquement silencieux, les spectateurs regardèrent l'étalon noir franchir comme une flèche la ligne d'arrivée. Il leur semblait que, dans cette brume où on le distinguait pourtant à peine, Black brillait du même éclat que depuis des années. De nouveau, et monté cette fois par une inconnue, il venait de montrer sa valeur exceptionnelle.

# Chapitre 18

# L'insaisissable

Peu après la course, ils quittèrent Aqueduct et, dans la voiture de Pam, prirent la direction du ranch. Alec conduisait.

« Henry a changé, dit-il. Il désire beaucoup que vous restiez. Il n'a plus l'intention d'engager Mike Costello, ni qui que ce soit.

— Il a donc cessé d'être misogyne ? Voilà qui me fait plaisir ! »

Alec expliqua :

« Ce n'est pas exactement cela. Je crois qu'Henry s'est aperçu qu'il n'était pas encore trop vieux pour changer d'avis sur un tas de choses. Il se pourrait qu'il se montre dorénavant plus compréhensif avec les autres, même s'il n'est pas d'accord sur tout.

— Très intéressant », murmura Pam.

Puis, après un instant de réflexion, elle ajouta :

« Il y a au moins un point sur lequel il a raison. J'ai eu aujourd'hui un aperçu de ce que peut être la faiblesse humaine... par mon propre exemple. Pendant la course, j'ai eu une de ces frousses !

— Pourtant, dit Alec étonné, vous n'en avez rien montré. Et cela, c'est très important. »

Un instant, il cessa de surveiller la route, regarda Pam et ajouta :

« Vous avez monté Black aujourd'hui comme personne n'aurait pu le monter.

— Je savais que j'avais une chance extraordinaire. J'en ai profité à fond. Un cadeau comme celui-là, n'importe qui en serait enthousiasmé.

— Vous n'êtes pas n'importe qui, Pam. Mon amitié pour vous... »

Elle l'interrompit :

« N'est pas moindre que celle que vous m'inspirez, Alec.

— C'est peut-être même plus que de l'amitié. Qu'en pensez-vous, Pam ?

— Que vous avez peut-être raison.

— Pourtant, vous partez.

— Je voudrais rester, dit-elle en baissant la voix. Mais cela m'est impossible. »

Ensuite, ils roulèrent en silence. Alec savait qu'il n'était pas en son pouvoir de la faire changer d'avis. Il avait tenté plusieurs moyens. Elle restait inébranlable. Et puis, il avait sa fierté. Il n'allait tout de même pas supplier, se traîner à genoux, se comporter en esclave ! Insaisissable, voilà ce qu'elle était, comme certains objets qu'on voudrait retenir et qui glissent entre les doigts...

« À quoi pensez-vous ? demanda-t-elle.

— À rien de particulièrement gai, répondit-il.

— Une fois encore, il faut que je vous explique, Alec. Il y a une époque pour tout, par exemple pour s'installer, se fixer, rester au même endroit. Moi, je ne suis pas encore prête. Il y a trop de choses que

181

je désire voir, trop de pays où je désire aller, comme les gens du Moyen Âge allaient en pèlerinage. Pour que vous me compreniez, je vais vous poser une question. Si je vous demandais de m'accompagner, accepteriez-vous ? »

Il hésita à peine.

« Bien sûr que non. Je ne puis quitter le ranch. Je ne peux pas m'éloigner des champs de courses. Ma vie est ici. Non autre part. »

Elle rit :

« Vous voyez, Alec. Vous êtes comme moi. Nous avons tous les deux des choses importantes à faire. Vous au ranch et sur les hippodromes. Moi...

— Il y a tout de même une différence. Ici, vous seriez en pleine nature. Je crois que vous aimez cela, n'est-ce pas ?

— C'est vrai. D'ailleurs, j'ai bien l'intention de revenir près de vous. Plus tard... Oui, plus tard. »

*
* *

Ils arrivèrent au ranch avant la nuit. Immédiatement, pour changer de vêtements et préparer ses bagages, Pam monta dans sa chambre. Alec l'attendit au rez-de-chaussée. Elle ne tarda pas à reparaître. Il l'aida à porter ses bagages à la voiture. Cette fois, la nuit était presque tombée. Quand les affaires eurent été entassées dans le coffre, Pam s'assit au volant.

« Et maintenant, où allez-vous ? demanda Alec en s'accoudant à la portière.

— Dans le Maryland, chez mon amie Nancy, une camarade d'école. Je vous enverrai son adresse. Je l'ai prévenue de mon arrivée.

— Vous êtes fatiguée. Vous allez rouler toute la nuit. Pourquoi n'attendez-vous pas demain ?

— J'aime aller au-devant de l'aurore. »

Alec comprit qu'il était inutile d'insister, qu'elle ne changerait rien à ses projets. Mais, comme il n'avait pas coutume de lâcher prise aussi facilement, il décida de faire encore une ou deux tentatives... même si elles avaient quelque chose d'un peu enfantin.

« Pam, reprit-il, si vous restez nous pouvons nous marier demain. Pourquoi pas ? »

Elle rit de bon cœur :

« Oui, pourquoi pas ? Sinon, que je ne me sens pas encore prête au mariage. Je vous l'ai déjà dit, Alec. Il faut d'abord que je voyage, que je voie le monde. Tout de même, je suis très émue par votre proposition. »

Malgré sa déception, Alec ne se démonta pas.

« Si vous restiez, reprit-il, vous pourriez vous occuper d'un poulain que vous avez peut-être aperçu, mais dont vous n'avez pas eu le temps de faire vraiment la connaissance. Depuis la mort de Sable Noir, c'est le seul fils de Black qui nous reste, son dernier-né. Il a bien besoin de quelqu'un pour l'entraîner. D'ailleurs, il est là-bas, dans l'enclos de gauche. Il s'appelle Grain de Café. Vous pourrez peut-être l'apercevoir quand... »

Elle éclata de rire :

« Alec, il n'y a plus de "peut-être". Nous nous sommes dit tout ce que nous avions à nous dire.

— Mais...

— Il n'y a pas plus de "mais" que de "peut-être". Maintenant, je pars. »

Alec se jeta à l'eau.

« Et si je vous disais que Black revient au ranch ? C'est une surprise que je vous réservais... si vous restiez.

— Black prend sa retraite ? s'exclama-t-elle. J'en suis enchantée.

— Il ne prend pas sa retraite, précisa Alec. C'est un cheval de course, non un pantouflard. Après un peu de repos, il reprendra la route. Il ira d'hippodrome en hippodrome. Les voyages lui sont indispensables.

— Comme à moi », murmura Pam.

Elle prit dans son sac un carnet et en déchira une feuille qu'elle tendit à Alec après y avoir griffonné quelques mots :

« Voilà l'adresse de Nancy.

— Après le Maryland, où irez-vous ?

— En France.

— Vous plaisantez ?

— Jamais de la vie. Et, après la France, la Suisse, l'Autriche, l'Angleterre, etc.

— Vous me donnerez de vos nouvelles ?

— Bien sûr. Vous saurez toujours où je suis. »

Alec hésita, puis :

« Vous reviendrez ?

— Mais, Alec, c'est promis !

— Quand ?

— Je ne sais pas. Soyez tranquille, nos chemins se rencontreront encore.

— Cette fois, vous resterez ?

— Qui sait ? » répondit-elle en démarrant.

Elle avait prononcé ces derniers mots avec un sourire qui, pour Alec, continua de briller après que les feux arrière de la voiture se furent effacés dans la nuit.

Il resta un moment à réfléchir.

N'avait-il pas rêvé ? Il y avait quelque chose de si irréel dans l'arrivée de Pam et dans son départ. Elle avait promis de revenir. Pourtant...

Tout en méditant ainsi, il s'était dirigé sans s'en rendre compte vers l'enclos où broutait le dernier-né des fils de Black, Grain de Café, si noir qu'il se dessinait à peine dans la pénombre. Alec le caressa par-dessus la barrière en pensant qu'il avait bien fait de parler à Pam de ce poulain. Si elle ne revenait pas pour lui-même, elle reviendrait peut-être pour Grain de Café... ou pour Black, dont elle avait été la parfaite cavalière. L'essentiel était qu'elle ne disparût pas à jamais.

# Table

Composition *Jouve* – 53100 Mayenne

Imprimé en France par Jean-Lamour - Groupe Qualibris
Dépôt légal : mai 2008
20.07.0333.3/09 – ISBN 978-2-01-200333-0
*Loi n°49-956 du 16 juillet 1949*
*sur les publications destinées à la jeunesse*